PROSA CONTEMPORANEA

Titoli originali:
Your Place Is Empty
Uncle Ahmad
Average Waves in Unprotected Waters
A Knack for Languages
Holding Things Together

Zio Ahmad e *Moto ondoso stabile* sono inediti in Italia.
Il tuo posto è vuoto, *Il bernoccolo delle lingue*
e *Chi tiene in piedi la baracca* sono usciti nella precedente edizione
del volume *Il tuo posto è vuoto* (Guanda 1997).

Visita *www.InfiniteStorie.it*
il grande portale del romanzo

ISBN 88-8246-808-9

ANNE TYLER
IL TUO POSTO È VUOTO
E ALTRI RACCONTI

Traduzione di Laura Pignatti

UGO GUANDA EDITORE
IN PARMA

IL TUO POSTO È VUOTO

All'inizio di ottobre Hassan Ardavi invitò sua madre a venire a trovarlo dall'Iran. Lei accettò subito. Non era chiaro quanto la visita sarebbe durata. La moglie di Hassan riteneva che tre mesi fossero un periodo giusto. Hassan aveva pensato piuttosto a sei mesi, e così aveva proposto nella sua lettera. La madre, invece, trovava che dopo un viaggio così lungo sei mesi fossero troppo poco, e in cuor suo contava di fermarsi per un anno. La bambina di Hassan, che non aveva nemmeno due anni, non possedeva alcuna cognizione del tempo: le fu detto che sarebbe venuta sua nonna, ma lei ben presto se ne dimenticò.

La moglie di Hassan si chiamava Elizabeth, un nome non facile da pronunciare, per gli iraniani. Ovunque nel mondo si sarebbe capito che era americana: una bella ragazza bionda con le ossa lunghe e un modo di camminare sgraziato. Elizabeth aveva una grande facilità a imparare le lingue, e in vista dell'arrivo di sua suocera comperò un manuale e si mise a studiare il persiano da autodidatta. «*Salaam alei-kum*», recitava ogni mattina davanti allo specchio. Sua figlia, seduta sul vasino, la guardava perplessa. Elizabeth provava a immaginare frasi che potessero esserle utili e cercava le parole nel dizionario. «Vuole ancora un po' di tè? Zucchero?» Durante la cena si esercitava a parlare in persiano con il marito, che trovava divertente quella particolare pronuncia della sua lingua con la piatta e concreta voce americana della moglie. Scrisse a sua madre che Elizabeth aveva una sorpresa per lei.

Abitavano in una casa di mattoni in stile coloniale, e solo il piano terra e il primo piano erano in uso. Ora liberarono il secondo da bauli, porcellane, vecchie annate del «National Geographic», e ci misero qualche mobile. Elizabeth confezionò delle tende a fiori per la finestra. Lo fece con estrema cura: una suocera straniera poteva dare particolare importanza agli orli delle tende. Hassan andò a comperare una bussola tascabile e la mise nel primo cassetto del comò. «Per le sue preghiere» disse. «Vorrà rivolgersi verso La Mecca. Prega tre volte al giorno.»

«Da che parte è La Mecca, da qui?» chiese Elizabeth.

Hassan si strinse nelle spalle. Lui non aveva mai recitato le preghiere, nemmeno da bambino. Il ricordo più lontano che conservava era quello di aver fatto il solletico sotto la pianta dei piedi alla madre che continuava imperterrita a pregare; tutti sapevano che era proibito interrompersi, una volta cominciato.

La signora Ardavi aveva paura di sbarcare dall'aereo. Scese la scala di sghembo, soffermandosi a ogni gradino, stringendo lo scialle con una mano e la ringhiera con l'altra. Era notte e faceva freddo. L'aria sembrava stranamente opaca. Quando toccò il suolo si fermò un momento per ricomporsi: una donna in nero, piccola e robusta, con un foulard sui lisci capelli grigi. Teneva la schiena molto dritta, come se qualcuno l'avesse offesa. Nell'immaginare questo istante, aveva sempre pensato di trovare Hassan accanto all'aereo ad aspettarla, ma non vide traccia di lui. L'oscurità alle sue spalle era costellata di luci azzurre, davanti s'intravedeva un terminal ad angolo e un funzionario in divisa stava convogliando i passeggeri verso una porta di vetro. Seguì il flusso di persone, prigioniera di una rete di suoni incomprensibili come in un sogno febbricitante.

Controllo passaporti. Ritiro bagagli. Dogana. Lei ogni volta allargava le braccia, sgranava gli occhi e scuoteva la testa per dare a intendere che non parlava inglese. Intanto i suoi compagni di viaggio salutavano facce sfuocate dietro una parete di vetro. A quanto pareva lì tutti conoscevano qualcuno; lei era l'unica a non vedere nessuno. Sbarcando dall'aereo si era sentita come un neonato, incapace di parlare e senza amici. E il doganiere non sembrava per nulla soddisfatto. Lei aveva portato troppi regali. Aveva riempito le valigie di regali, eliminando tutto, tranne il minimo vestiario indispensabile, in modo da avere più spazio. C'erano servizi da tè d'argento e gioielli d'oro per sua nuora, e per la nipotina una bambola con il complicato costume di una tribù nomade, un gilè di montone ricamato e due medagliette con immagini religiose con relative catenine: una era un cerchio con il nome di Allah, l'altra un piccolo Corano d'oro con dentro un'efficacissima preghiera di lunga vita. Il doganiere si fece passare l'oro tra le dita come sabbia, e vedendo il Corano aggrottò la fronte. «C'è... qualcosa che non va?» chiese lei. Ma ovviamente l'uomo non la capì. A ben pensarci però, se solo avesse ascoltato più attentamente, se l'avesse guardata negli occhi almeno un momento... Era una lingua molto semplice, non c'era motivo per cui non dovesse capirla.

Per Hassan aveva portato leccornie varie. Aveva riunito tutti i suoi cibi preferiti e li aveva messi in una sacca su cui erano ricamati dei pavoni. Quando il doganiere vide la sacca, mormorò qualcosa tra i denti e chiamò un collega.

Insieme cominciarono ad aprire i pacchetti incartati in fogli di giornale, annusando le diverse spezie. «*Sumac*» spiegava lei. «Limone in polvere. *Shambalileh*.» Loro la guardavano senza capire. Aprirono un sacchetto di stoffa e rovistarono nel *kashk* che aveva portato per la minestra. Lo fecero rotolare fra le dita e sul bancone: palline bianche e secche di yogurt miste a pelo ed escrementi di pecora. Un pastore aveva lavorato per ore per preparare quel *kashk*. La signora Ardavi ne raccolse un pezzetto e lo rimise nel sacco con aria risoluta. Allora, forse, il doganiere afferrò il segnale: lei stava per perdere la pazienza. L'uomo si arrese e fece avanzare i bagagli sul bancone. Era libera di andarsene.

Già, ma di andare dove?

Confusa e zoppicante, con una piramide di pacchi e borse informi colme di velluti e broccati e addobbi, si avviò verso la parete di vetro. Una porta che non aveva visto si aprì e uno sconosciuto le bloccò il passo. «Khanom-jun» le disse. Era un nome con cui solo i suoi figli le si rivolgevano, ma lei tirò dritto e l'uomo dovette sfiorarle il gomito per farle alzare lo sguardo.

Era ingrassato. Non lo riconosceva. L'ultima volta che l'aveva visto era uno studente di medicina magro e curvo che saliva a bordo di un jet Air France senza nemmeno voltarsi a guardare indietro. «Khanom-jun, sono io» insisté lo sconosciuto, ma lei continuò a scrutargli il volto con occhi sospettosi. Di certo quell'uomo era venuto a portarle brutte notizie. Era così? Un sogno ricorrente che faceva era quello di non rivedere mai più suo figlio, che lui morisse venendo all'aeroporto o fosse già morto da mesi ma nessuno avesse voluto darle la notizia, e un cugino di secondo o terzo grado che viveva in America avesse continuato a firmare con il nome di Hassan le lettere allegre e anonime che riceveva. E ora ecco quell'uomo con i capelli quasi grigi e un folto paio di baffi, vestito da americano ma dai tratti iraniani, con occhi tristemente familiari eppure estranei. «Non mi credi?» disse. La baciò su entrambe le guance. Lei lo riconobbe dall'odore, un odore gradevolmente amaro, speziato, che le riportò l'immagine di Hassan bambino, quando le buttava le braccia al collo. «Hassan, sei tu» disse, e scoppiò a piangere sulla sua spalla di tweed grigio.

Durante il lungo viaggio in automobile fino a casa rimasero in silenzio. La signora Ardavi gli sfiorò il viso una volta, dopo averci pensato per diversi chilometri. Nessuna delle istantanee sfuocate che aveva ricevuto periodicamente l'aveva preparata a trovarlo tanto invecchiato. «Quanto tempo è passato?» chiese. «Dodici anni?» Ma entrambi lo sapevano esattamente, fino all'ultimo giorno. Tutte quelle lettere che gli scriveva: «Mio caro Hassan, sono trascorsi dieci anni e ancora il tuo posto è vuoto». «Undici anni e ancora...»

Hassan stringeva gli occhi, abbagliato dai fari delle automobili che venivano in senso contrario. Sua madre cominciò a preoccuparsi del foulard, sapeva che non avrebbe dovuto metterselo. La sorella minore, che era stata in America due volte, l'aveva avvertita. «Così dai troppo nell'occhio» aveva detto. Ma quel quadrato di seta era l'ultimo, striminzito ricordo del velo sotto cui un tempo soleva nascondersi, prima che il precedente scià lo vietasse. Alla sua età, come avrebbe potuto esporsi? E poi i denti; anche i suoi denti erano un problema. La sorella più giovane le aveva detto: «Dovresti farti fare una dentiera, sono sicura che avrai sì e no tre denti interi». Ma la signora Ardavi aveva paura dei dentisti. Ora si coprì la bocca con una mano e guardò Hassan con la coda dell'occhio, lui però non parve accorgersene. Era impegnato a portarsi con l'automobile sulla corsia di destra.

Questo silenzio proprio non se l'era aspettato. Da settimane raccoglieva gli aneddoti e le storie di famiglia che gli voleva raccontare. La sua famiglia contava trecento persone, gran parte delle quali imparentate tra loro in tre o quattro modi diversi, e tutte conducevano vite complicate e scandalose che aveva pensato di

15

poter discutere nei dettagli; invece si limitò a guardare nel vuoto fuori dal finestrino. Si aspettava che Hassan le facesse molte domande. Si aspettava di parlare un po' di più, dopo tanto tempo. La delusione la fece rabbuiare, ora taceva ostinatamente anche quando vedeva qualcosa che in realtà avrebbe voluto commentare, un edificio imponente o un'auto di una marca a lei sconosciuta che li superava nell'oscurità.

Quando arrivarono era quasi mezzanotte. Nessuna delle case era illuminata, tranne quella di Hassan, in mattoni consunti, più vecchia di quanto si fosse aspettata. «Eccoci qua» annunciò Hassan. L'abilità con cui parcheggiò l'auto in uno spazio stretto lungo il marciapiede lo metteva decisamente dall'altro lato dello steccato, il lato americano. Si sarebbe trovata a dover fronteggiare la nuora da sola. Mentre salivano le scale davanti alla casa sussurrò: «Come si dice?»

«Che cosa?» chiese Hassan.

«Il suo nome. Lizabet?»

«Elizabeth. Come Elizabeth Taylor. Lo sai, no?»

«Ah, sì, certo» disse sua madre e sollevò il mento stringendo forte i manici della borsetta.

Elizabeth indossava i blue-jeans e un paio di ciabatte pelose. Aveva i capelli biondi, setosi, del colore del granoturco, tagliati corti e dritti, e il suo viso aveva l'espressione seria e assonnata di una bambina. Aprì la porta ed esclamò: «*Salaam aleikum*». La signora Ardavi, rinfrancata dal saluto persiano, le buttò le braccia al collo e la baciò sulle guance. Poi la condussero nel salotto, che aveva un aspetto gradevole benché un po' spoglio. I mobili erano lineari, i tappeti poco interessanti, solo le tende avevano un motivo che la colpì. In un angolo c'era una lucida macchinina rossa con tanto di targhe. «È della bambina?» chiese. «Di Hilary?» esitò sul nome. «Potrei vederla?»

«*Adesso?*» disse Hassan.

Ma intervenne Elizabeth: «Certo che può». Le donne queste cose le capiscono. Fece un cenno alla suocera. Salirono le scale insieme fino al primo piano, in una stanzetta che sapeva di latte, gomma e talco, odori che avrebbe riconosciuto ovunque. Anche nella scarsa luce proveniente dal corridoio vide che Hilary era bellissima. Aveva i capelli neri e scompigliati, lunghe ciglia nere e la pelle di quella tonalità che veniva definita color grano, più chiara di Hassan. «Eccola» disse Elizabeth. «Grazie» rispose la signora Ardavi. La sua voce era formale, ma quella era la sua prima nipote e ci mise un momento per riaversi. Poi tornarono in corridoio. «Le ho portato delle medaglie» sussurrò. «Spero non ti dispiaccia.»

«Medaglie?» chiese Elizabeth; ripeté la parola con apprensione, sbagliando la pronuncia.

«Solo un Allah e un Corano, entrambi molto piccoli. Non si vedranno quasi. Non sono abituata a vedere una bambina senza medaglie. Mi preoccupa.»

Istintivamente si passò due dita intorno al collo terminando il movimento nella cavità tra le clavicole. Elizabeth annuì sollevata. «Ah, medaglie, ho capito» disse.

«Sei d'accordo?»

«Sì, certo.»

La signora Ardavi si rinfrancò. «Hassan ride» disse. «Lui non crede a queste cose, ma quando è partito gli ho messo una preghiera nella tasca della valigia, e come vedi lo ha protetto. Se Hilary porterà una mediaglietta, dormirò più tranquilla.»

«Certo» ripeté Elizabeth.

Quando tornarono nel salotto la signora Ardavi sorrise, e prima di sedersi baciò Hassan sulla testa.

Le giornate americane seguivano un orario molto preciso, non erano divise soltanto in mattina e pomeriggio, ma in: 9.00, 9.30 eccetera, ogni mezz'ora c'era da svolgere una certa attività. Era magnifico. La signora Ardavi scrisse alle sue sorelle: «Qui sono più organizzati. Mia nuora

18

non spreca mai un minuto». Che orrore, risposero le sorelle. Erano tutte a Teheran, a bere una tazza di tè dopo l'altra tirando a indovinare chi sarebbe venuto a trovarle. «No, non capite» protestò la signora Ardavi. «A me così piace. Mi sono adattata benissimo.» E alla sorella più giovane scrisse: «Mi scambieresti per un'americana. Nessuno penserebbe il contrario». Questo non era vero, ovviamente, ma lei in cuor suo sperava che in futuro potesse accadere.

Hassan era medico. Lavorava molto, dalle sei del mattino alle sei di sera. Mentre stava ancora facendo le abluzioni prima delle preghiere mattutine, sua madre lo sentiva scendere le scale in punta di piedi e uscire di casa. L'auto si avviava, un borbottio lontano, in basso sotto di lei, e dalla finestra del suo bagno la vedeva sbucare tra le foglie rosse degli alberi e poi sparire dietro l'angolo. Allora sospirava e tornava al lavabo. Prima delle preghiere doveva lavarsi il viso, le mani e le piante dei piedi. Doveva passarsi le dita bagnate sulla scriminatura dei capelli. Fatto questo tornava nella sua stanza, dove si avvolgeva saldamente nel suo lungo velo nero e s'inginocchiava su un apposito tappetino di velluto ricamato con le perline. L'est era oltre la finestra appannata con le tendine di chintz. Alla parete aveva appeso una litografia del califfo Ali e una foto a colori del proprio terzogenito, Babak, che aveva fatto sposare solo alcuni mesi prima di partire. Se Babak non si fosse sposato, non sarebbe mai potuta venire. Era il più giovane, viziato perché era l'unico figlio rimasto in casa. Ci aveva messo tre anni per trovargli una moglie. Una era troppo moderna, l'altra troppo pigra, la terza talmente perfetta da insospettirla. Alla fine però aveva trovato la ragazza giusta, modesta ed educata e abbastanza larga di fianchi, e si era sistemata con la coppia di sposini in una bella casa nuova nella periferia di Teheran. Ogni volta che pregava, ora, aggiungeva una parola di ringraziamento per avere finalmente trovato una casa per la sua vecchiaia. Poi si toglieva il velo e lo riponeva con cura in un cassetto. Da un altro cassetto prendeva le sue spesse calze di cotone, i reggicalze elastici, e comprimeva poi i piedi gonfi nei sandali di plastica con la punta scoperta. Se non aveva previsto di uscire, indossava una vestaglia. Non sapeva capacitarsi di quanto gli americani fossero spreconi in fatto di vestiti.

In cucina Elizabeth le faceva trovare pronto il suo tè e una fetta di pane abbrustolito con il burro. Lei e Hilary mangiavano uova con la pancetta, ma ovviamente la pancetta era impura e la signora Ardavi non ne accettava mai. Né mai le era stata offerta, a dire il vero, tranne una volta per scherzo da Hassan. Quel tipico odore di affumicato le veniva incontro ogni giorno quando scendeva le scale. «Che sapore ha?»

chiedeva sempre. Moriva dalla voglia di saperlo. Ma le conoscenze linguistiche di Elizabeth non comprendevano il sapore della pancetta. Diceva solo che era salata, poi rideva e abbandonava l'impresa. Avevano imparato molto presto a parlare solo di argomenti ben precisi, in modo da non finire in vicoli ciechi che richiedessero l'uso di termini difficili. «Ha dormito bene?» domandava immancabilmente Elizabeth con il suo buffo accento infantile, e la signora Ardavi rispondeva: «Così così». Poi si mettevano a guardare Hilary, seduta sul seggiolone a mangiare il suo uovo strapazzato, con un sottile filo d'oro persiano intorno al collo. Finché c'era Hilary parlare era più facile, o addirittura non era necessario.

Di mattina Elizabeth puliva la casa. La signora Ardavi impiegava quelle ore per la sua corrispondenza. Aveva decine di lettere da scrivere, a tutti i suoi zii e zie, e alle tredici sorelle. Suo padre aveva avuto tre mogli, e un sorprendente numero di figli anche in tarda età. Poi c'era Babak. La moglie era al secondo mese di gravidanza, e la signora Ardavi le spiegava nei minimi dettagli i metodi educativi americani. «Su alcune cose, però, non sono d'accordo» scriveva. «Lasciano la bambina a giocare all'aperto da sola, senza nemmeno una domestica che la tenga d'occhio.» Poi si distraeva e fissava il suo sguardo assorto su Hilary, seduta sul pavimento a guardare un programma televisivo chiamato *Capitan Canguro*.

La signora Ardavi aveva avuto un'infanzia grigia e triste. All'età di nove anni era stata coperta con un velo, di cui doveva tenere stretto tra i denti un lembo per nascondere il viso ogni volta che usciva. Suo padre, un uomo rispettato e con una buona posizione nella società, rincorreva le servette nei corridoi per poi chiudersi ridacchiando con loro in qualche stanza vuota. A dieci anni aveva dovuto vedere la mamma morire dissanguata durante un parto, e quando aveva gridato, la levatrice l'aveva presa a schiaffi e l'aveva costretta a baciare sua madre per l'ultima volta. Almeno apparentemente non c'era nessun legame tra lei e quella bimbetta americana con la salopette. A volte, quando Hilary faceva i capricci, era terrorizzata al pensiero che Elizabeth la punisse, ma non accadeva mai, allora avvertiva un misto di sollievo e delusione. «In Iran...» diceva, ma Hassan, quando era presente, non mancava mai di farle notare: «Però non siamo in Iran, te ne sei scordata?»

Dopo pranzo Hilary faceva un pisolino, e la signora Ardavi saliva nella sua stanza per le preghiere di mezzogiorno e per riposare anche lei. Poi, a volte, faceva un po' di bucato nella sua vasca da bagno. Anche il bucato qui era un problema. Voleva bene a Elizabeth, ma era cristiana e pertanto impura. Un cristiano non può lavare i vestiti di un musulmano. E anche l'asciugatrice automatica era impura, dato che veniva a contatto con la biancheria di una cristiana. Così era stata costretta a chiedere a Hassan di comperarle uno stendino. Era arrivato smontato, ed Elizabeth gliel'aveva messo insieme pezzo per pezzo, poi lei l'aveva tenuto a lungo sotto la doccia nella speranza che questo fosse sufficiente per rimuovere ogni traccia di contaminazione. Nel Corano non era spiegato come comportarsi in situazioni del genere.

Quando si svegliava Hilary, andavano al parco: Elizabeth con i soliti jeans e la signora Ardavi con il foulard e lo scialle, a piccoli passetti perché vedeva le stelle con le sue scarpe troppo strette che le premevano sui calli. Non avevano ancora detto nulla dei suoi denti, anche se ormai Hassan se n'era accorto. La signora sperava che suo figlio si scordasse di portarla dal dentista, ma poi si accorse che lui ci pensava ogni volta che la vedeva sorridere mettendo in mostra i suoi cinque denti marroni e troppo distanti uno dall'altro.

Al parco sorrideva molto. Era l'unico modo che aveva di comunicare con le altre donne. Si sedevano sulle panchine intorno ai giardinetti e, mentre Elizabeth traduceva le loro domande, la signora Ardavi sorrideva e annuiva ripetutamente. «Chiedono se qui le piace» diceva Elizabeth. E la signora Ardavi rispondeva con una lunga frase articolata, ma la traduzione di Elizabeth era sempre molto breve. Poi, a poco a poco, le altre donne si dimenticavano di lei e si mettevano a chiacchierare tra loro; non le restava che seguire i movimenti delle labbra senza capire. Le scarse parole che riconosceva – telefono, televisione, radio – le davano l'impressione che gli americani parlassero quasi sempre di argomenti tecnici, anche fra donne. Facevano gesti ampi e lenti, dimostrando che sua sorella si sbagliava quando le diceva che in America hanno sempre tutti fretta. Queste donne, al contrario, sembravano trasognate, e quando se ne andavano si muovevano piano, sole o in coppia, per le ampie distese pianeggianti sotto il bianco cielo novembrino.

Dopo, a casa, la signora Ardavi chiedeva: «Quella ragazza con i capelli rossi è incinta? A me sembra di sì. E ha un matrimonio felice, la ragazza grassa?» Le sue domande erano pressanti e, quando Elizabeth non era pronta a rispondere, la tirava per la manica. La vita privata della gente l'affascinava. Di sabato, quando andavano al supermercato, si soffermava a guardare chiunque stuzzicasse la sua curiosità. «Cos'ha quello, che si muove così di scatto? E quella donna, è una di quelle persone dalla pelle scura che ci sono qui?» Ma Elizabeth rispondeva a voce troppo bassa, e non seguiva mai con lo sguardo il dito puntato della signora Ardavi.

La cena era un capitolo difficile. Alla signora Ardavi non piaceva il cibo americano. E quando Elizabeth preparava qualche pietanza iraniana, anche quella aveva un sapore americano, e le verdure erano crude, le cipolle trasparenti anziché belle scure. «Le verdure non cotte a sufficienza mantengono una certa acidità» sosteneva la signora Ardavi smettendo di mangiare. «Questo causa costipazione e dolori di stomaco. Di notte sento spesso dei bruciori. E sono tre giorni che ho l'intestino bloccato.» Elizabeth rimaneva china sul piatto, senza descrivere a sua volta la propria attività intestinale. Hassan diceva: «Non a tavola, Khanom, ti prego. Non a tavola».

A un certo punto decise di occuparsi personalmente della preparazione della cena. Sorda alle proteste di Elizabeth, ogni giorno alle tre del pomeriggio cominciava a riempire la casa di profumo di aneto; invase tutta la cucina di vasi e vasetti e, quando ebbe esaurito lo spazio, occupò anche il pavimento. Si accucciava per terra con la gonna stretta tra le ginocchia e si metteva a mescolare grandi ciotole di verdure tritate, mentre sul fornello a gas alle sue spalle bollivano quattro pietanze diverse. Ora la cucina stava diventando più accogliente, secondo lei. Una ciotola di yogurt fermentava accanto al fornello, nell'acquaio c'era una pentola piena di riso che si gonfiava e il ripiano sopra la lavapiatti era tutto macchiato di ghirigori gialli di zafferano. In un angolo c'era lo stampo del budino con il fondo bruciato, dopo tutte le volte che l'aveva usato per sciogliere lo zucchero e preparare un rimedio per il suo intestino. «Tu riposati» diceva a Elizabeth. «Vieni a tavola fra tre ore e vedrai che sorprese.» Ma Elizabeth restava in cucina a turbare la serena atmosfera vaporosa con acciottolii e rumori vari, a riporre qualche pentola, o ad andare avanti e indietro nervosamente tra il fornello e il lavandino con le braccia conserte. A tavola mangiava poco; la signora Ardavi si chiedeva come facessero a diventare così alti gli americani, se mangiavano così poco. Hassan invece faceva il bis e il tris. «Mi sa che sto ingrassando di due chili alla settimana, non so più cosa mettermi, non mi sta più niente.»

«Sono proprio contenta» ribatteva sua madre. Anche Elizabeth diceva qualcosa, ma in inglese, e Hassan le rispondeva, sempre in inglese. Capitava spesso, ora, che scambiassero frasi in quella lingua: Elizabeth parlava a voce bassa, guardando il piatto, e Hassan rispondeva parlando a lungo, a volte mettendo la mano su quella di lei.

Di sera, dopo le preghiere, la signora Ardavi guardava la televisione seduta sul divano in salotto. Andava a prendere il velo e si avvolgeva le spalle per ripararsi dagli spifferi. Lasciava le scarpe sul tappeto davanti a sé, e riempiva il divano con le sue cianfrusaglie: la borsa con il lavoro a maglia, il sacchetto di zucchero caramellato, la lente d'ingrandimento e *My First Golden Dictionary*. Elizabeth leggeva romanzi in poltrona e Hassan guardava la tv in modo da poter tradurre alla madre le parti più complesse dei film. Ma la signora Ardavi non faticava a capire. La trama dei film americani s'indovina facilmente, soprattutto nei western. E quando c'era un programma noioso – un documentario o un telegiornale – poteva sempre chiacchierare con Hassan. «Sai, mi ha scritto tua cugina Farah, ti ricordi di lei? Una ragazza bruttina, troppo scura di pelle. Ha chiesto il divorzio e secondo me ha fatto bene. Lui è di estrazione più bassa. Ti ricordi di Farah?»

Hassan bofonchiava qualcosa senza staccare lo sguardo dallo schermo. Si interessava alla politica americana. Anche lei, in verità. Aveva pianto per il presidente Kennedy e portato a lungo la foto di Jackie nella borsetta. Ma quei programmi nuovi erano lunghi e noiosi, e quando Hassan non voleva parlare, era costretta a rifugiarsi nel suo *Golden Dictionary*.

Da bambina aveva preso lezioni private da costosi insegnanti stranieri. La testa era il suo grande dono, per compensare il viso scialbo e il corpo tarchiato. Ma quello che aveva imparato, ora sembrava scomparso, dimenticato del tutto, forse offuscato dagli anni; Hassan emetteva un borbottio indistinto quando gli raccontava qualcosa che era riuscita a ricordare da quei tempi. Aveva l'impressione che tutto quello che studiava, ora, dovesse penetrare attraverso uno strato più spesso prima di raggiungere il suo cervello. «*Tonk you*» pronunciava. «*Tonk you. Tonk you.*» «*Thank you*» la correggeva Hassan, e le indicava sul dizionario le parole che potevano esserle utili – parole da supermercato o casalinghe – ma lei si spazientiva per la loro aridità. Avrebbe voluto imparare termini che le permettessero di sfoggiare la sua personalità, la sua famosa cortesia e il suo magico sesto senso per la vita interiore degli altri. Ogni sera ripeteva parole come sale, pane, cucchiaio, ma con una sensazione di noia profonda, e la mattina quando si svegliava ricordava soltanto «*thank you*» ed «NBC».

Elizabeth nel frattempo leggeva avidamente, finiva un libro e ne cominciava un altro senza neppure alzare lo sguardo. Hassan si mordicchiava l'unghia del pollice e guardava un senatore. Non bisognava disturbarlo, ovviamente, ma spesso il silenzio e il fruscio delle pagine voltate opprimevano talmente la signora Ardavi che doveva dire qualcosa. «Hassan?»

«Hmm?»

«Mi sento tutta chiusa. Sono sicura di essermi buscata un raffreddore. Non avresti qualcosa da darmi?»

«No» le rispondeva.

Hassan passava tutto il giorno a prescrivere medicine e ascoltare lamentele. Il buon senso le suggeriva di smettere, e invece lei continuava, pungolata da qualche demone che non le lasciava ferma la lingua. «Magari uno sciroppo? Quel liquido che mi avevi dato per la stitichezza, forse? Potrebbe servire?»

«No, non servirebbe» diceva Hassan.

La provocava, in un certo senso. Meno le concedeva, e più lei chiedeva. «Un'aspirina allora? Vitamine?» Finché Hassan sbottava: «Ma vuoi lasciarmi guardare la tv in pace, per favore?» Allora lei si chiudeva nel silenzio, o magari prendeva le sue carabattole e andava in camera.

Dormiva male. Spesso rimaneva sveglia per ore a lisciare l'orlo del lenzuolo scrutando il soffitto. Allora le tornavano in mente vecchi ricordi e paure, ingiustizie mai vendicate. Per la prima volta dopo molti anni pensò a suo marito, un uomo dolce e debole soggetto a improvvisi scatti d'ira. Non lo amava quando l'aveva sposato, e alla sua morte per una malattia al fegato sei anni dopo, il suo sentimento più forte era stato il rancore. Era giusto che la lasciasse vedova così giovane mentre altre donne potevano godere di appoggio e protezione? Dalla casa del marito, allora, era tornata nella vecchia tenuta di famiglia in cui abitavano cinque delle sue sorelle. Qui era rimasta fino al matrimonio di Babak a bere tè dalla mattina alla sera insieme a loro, muovendo le fila per il resto della famiglia. Organizzavano i matrimoni, andavano ai funerali, discutevano i parti nei minimi dettagli, risolvevano le diatribe della servitù e appianavano le liti per poi riprenderle. Il volto di suo marito era sbiadito in fretta, lasciandole nella memoria soltanto uno spazio vuoto. Ora invece lo vedeva chiaramente, un viso consunto sul letto di morte: barba incolta, turbante scomposto, con lo sguardo la implorava di concedergli qualcosa di più della distratta carezza sulla guancia ogni volta che attraversava la stanza per andare a vedere cosa facessero i bambini.

Rivedeva i volti magri dei suoi tre figlioletti seduti sul tappeto a mangiare riso. Hassan era il più testardo e monello, con le ginocchia perennemente sbucciate. Babak il più affettuoso. Ali era il maggiore, e le aveva dato tanti pensieri: debole, come suo padre, esigente, ma capace a un tratto di diventare gentile. Quattro anni prima era morto di un'emorragia cerebrale crollando sul tavolo nella lontana Shiraz, dove si era rifugiato per sottrarsi alle grinfie della moglie, che era anche sua cugina di primo grado. Sin da quando era nato, sua madre aveva perso il sonno, prima perché si chiedeva come sarebbe diventato, e ora, dopo la sua morte, perché passava notti intere a elencare tutti gli errori che aveva commesso nei suoi confronti. Era stata troppo indulgente. No, troppo severa. Chi poteva dirlo? Gli sbagli che si rimproverava aleggiavano per la stanza come spettri: quello che gli aveva concesso pur sapendo che non doveva, le volte che l'aveva protetto quando non se lo meritava, o magari le percosse altrettanto immeritate.

Le sarebbe piaciuto parlarne con Hassan, ma ogni volta che intavolava il discorso, lui cambiava argomento. Forse era arrabbiato per il modo in cui aveva appreso della morte di Ali. Secondo le usanze, la notizia gli era stata data gradualmente. Lei gli aveva scritto una serie di lettere molto blande, dicendo che Ali era gravemente malato quando in realtà era già morto e sepolto da un pezzo. Ma qualcosa in una lettera l'aveva tradita, forse il progetto di una vacanza al mare per riposarsi, che ovviamente non avrebbe mai preso in considerazione se avesse avuto il figlio moribondo in casa. Hassan le aveva telefonato, dopo tre notti in bianco per cercare di prendere la linea. «Dimmi cos'è successo» aveva detto. «So che c'è qualcosa.» Dato che le lacrime le impedivano di rispondere, lui aveva chiesto: «È morto?» Sembrava in collera, ma forse era un disturbo della linea. E quando poi aveva riagganciato, senza nemmeno lasciarle dire tutto quello che voleva, era giunta alla conclusione che avrebbe fatto meglio a dirglielo subito. Aveva dimenticato il suo carattere. Ora, quando parlava di Ali, lui la ascoltava per educazione, ma con la faccia scura. Gli avrebbe raccontato qualsiasi cosa, ogni particolare della morte e del funerale, e come quella strega della moglie si era buttata – troppo tardi, ahimè – nella tomba, ma Hassan non chiese mai nulla.

La morte le si stringeva intorno. Non la propria (nella sua famiglia le donne arrivavano a cent'anni e più, e seppellivano gli uomini uno a uno), ma quella di quanti la circondavano, tutti i cugini e gli zii e i cognati. Non faceva in tempo a riporre i suoi abiti a lutto, che già era ora di tirarli fuori un'altra volta. Di notte, spesso, aveva l'incubo di dover sopravvivere anche agli altri due figli, e si teneva sveglia apposta per non provare l'angoscia che quelle visioni le causavano: Babak rigido nella sua tomba, Hassan accasciato in una buia stradina americana. La notte le faceva vedere quelle immagini terrificanti. A volte finiva per coprirsi con lo scialle e dormire sul tappeto persiano, impregnato del polveroso odore di casa e comunque più comodo del suo instabile materasso straniero.

*

Per Natale Hassan ed Elizabeth regalarono alla signora Ardavi un variopinto vestito americano a maniche corte. Lei lo indossò per andare a una cena iraniana, lasciando perfino a casa il foulard in un improvviso impeto di audacia. Tutti si complimentarono per la sua eleganza. «Si è proprio adattata benissimo» commentò una ragazza. «Posso scrivere a mia madre di lei? Pensi che mia madre è rimasta qui per oltre un anno e mezzo e non è mai uscita di casa senza il suo foulard.» La signora Ardavi era raggiante. In patria non avrebbe mai frequentato persone del genere: figli di funzionari statali e di banca, nuovi ricchi che avevano studiato medicina. Le mogli chiamavano i mariti «dottore» anche quando si rivolgevano direttamente a loro. Tuttavia era contenta di poter parlare tanto in persiano; parlò quasi troppo, per la verità. «Vedo che aspetta un bambino» disse a una delle mogli. «È il primo? Gliel'ho letto negli occhi. No, non si preoccupi. Io ne ho avuti tre, mia madre sette e mai un dolore in tutta la vita. Si chinava per servire la colazione a mio padre e: 'Oh!' esclamava. 'Aga-jun, è nato!' e l'aveva proprio lì tra i piedi, allora tagliava il cordone e poi finiva di versare il tè.» Ovviamente non spiegò come sua madre era morta. Aveva recuperato tutto il suo naturale tatto, il suo talento nell'uso delle parole e la sua capacità di mantenere viva l'attenzione dell'interlocutore. Era allegra e contenta come una bambina, e quando venne l'ora di tornare a casa si rabbuiò.

Dopo quella cena, per due o tre giorni, continuò a pensare a quanto poco conversava, e a parlare febbrilmente appena Hassan rientrava dal lavoro. Questo problema dell'essere straniera presentava aspetti mutevoli. I confini si spostavano di continuo, e a volte la straniera era lei, ma altre volte era Elizabeth o perfino Hassan. Non era forse vero, si chiedeva spesso, che era più grande la distanza tra uomini e donne che tra americani e iraniani o perfino tra eschimesi e iraniani? Hassan diventò lo straniero quando lei ed Elizabeth complottarono per nascondere un Corano in miniatura nel vano portadocumenti della sua automobile; se l'avesse saputo le avrebbe prese in giro. « Vedi » disse la signora Ardavi a Elizabeth, « lo so che magari non serve a niente, ma mi fa sentire più tranquilla. Appena nati, ho portato tutti i miei figli ai bagni pubblici per un salasso. Si dice che allunghi la vita. Lo so che è superstizione, ma dopo, quando vedevo quei segni sulla loro schiena, mi sentivo sicura. Capisci? » Ed Elizabeth rispondeva: « Ma certo ». Lei stessa nascose il Corano sotto le carte stradali Texaco. Hassan non si accorse di nulla.

Hilary era sempre straniera. Sfuggiva alle mani affettuose di sua nonna e quando gli adul-

ti parlavano in persiano faceva i capricci, disob-
bediva e tirava Elizabeth per la manica. La signora Ardavi doveva ricordarsi continuamente
di non baciare troppo la piccola, di non tender-
le le braccia per chiamarla a sé e di non offrirsi
di prenderla sulle ginocchia. In questo paese
tutti si tenevano a maggiore distanza. Al punto
che a volte si sentiva ferita. La gente si sforzava
di essere così riservata, così inafferrabile. Non
avrebbe mai capito questo paese.

In gennaio la portarono da un dentista che
guardandole in bocca emise espressioni inquie-
tanti. «Che dice?» volle sapere lei. «Ditemi la
verità.» Ma Hassan stava parlando con Elizabeth e le fece segno di starsene buona. Sembrava che stessero bisticciando. «Cosa dice, Hassan?» insisté.

«Vengo subito.»

Allora lei si girò sulla poltrona del dentista
allontanando lo specchietto. «Guarda che voglio saperlo» disse a Hassan.

«Dice che i tuoi denti sono in pessime con-
dizioni. Che bisogna toglierli e intervenire chi-
rurgicamente sulle gengive. Vuole sapere se sa-
rai qui ancora per un paio di mesi, dato che non
può riceverti prima.»

Un freddo grumo di paura le scese nello stomaco. Purtroppo, sarebbe stata ancora lì. Dato

che era arrivata solo da tre mesi e aveva intenzione di fermarsi per un anno. Così dovette abbandonarsi inerme nelle mani di altri, consentire che venissero fissate sfilze di appuntamenti e compilate schede bianche. E Hassan non sembrava nemmeno impietosito. Era ancora coinvolto in quella misteriosa discussione con Elizabeth, tanto che entrambi non si erano accorti di quanto le tremavano le mani.

Nevicò per tutto il mese di gennaio, cadde più neve di quanta ne avessero vista da anni. La mattina, quando scendeva, la signora Ardavi trovava la cucina gelida, attraversata da correnti d'aria. «Questo freddo mi entra dritto nelle ossa» diceva a Elizabeth. «Sono sicura che mi ammalerò.» Elizabeth si limitava ad annuire. Alcune mattine, ora, la signora Ardavi si svegliava con il volto pallido e gonfio; era come se avesse una pena segreta, ma ormai sapeva che era meglio non chiedere niente.

All'inizio di febbraio ci fu un'improvvisa ondata di caldo e la neve si sciolse; gli alberi gocciolavano al sole. «Noi andiamo a fare una passeggiata» disse Elizabeth, e la signora Ardavi: «Vengo anch'io». Nonostante il caldo, si arrampicò su per le scale a prendere il suo scialle di lana. Non voleva correre rischi. Era in pena perché Hilary aveva le orecchie scoperte. «Non prenderà freddo?» chiese. «Secondo me dovremmo coprirle la testa.»

«Va bene così» disse Elizabeth, poi si nascose dietro la sua solita espressione imbronciata.

Nel parco Elizabeth e Hilary fecero delle palle con l'ultima neve rimasta e se le buttarono, mancando di poco la signora Ardavi che stava a guardarle con le braccia conserte e le mani infilate nelle maniche.

La mattina dopo Hilary stava poco bene. A colazione si rifiutò di mangiare, e non faceva che piangere. «Su, su» diceva sua nonna, «perché non spieghi alla vecchia Ka-jun cosa c'è che non va?» Ma quando si avvicinava, la bambina strillava più forte. All'ora di pranzo era peggiorata. Elizabeth telefonò a Hassan e lui rientrò immediatamente, mise una mano sulla fronte di Hilary e disse che bisognava portarla dal pediatra. Le accompagnò lui stesso. «Ha male alle orecchie, ne sono sicura» disse la signora Ardavi nella sala d'aspetto. Per qualche motivo Hassan si irritò. «È mai possibile che tu debba sempre saperla più lunga di chi se ne intende?» sbottò. «Perché veniamo dal medico, allora? Avremmo potuto chiederlo a te e risparmiarci la strada, ti pare?» Sua madre abbassò lo sguardo per studiare i manici della borsetta. Capiva che fosse preoccupato, ma si sentiva offesa, e quando gli altri si alzarono per entrare nell'ambulatorio non li seguì.

Poco dopo Hassan tornò nella sala d'aspetto e si sedette. «Ha un'otite» riferì. «Il dottore le fa un'iniezione di penicillina.» Sua madre annuì, attenta a non infastidirlo ricordandogli che lei l'aveva detto sin dall'inizio. Poi Hilary scoppiò a piangere. Evidentemente le stavano facendo l'iniezione. La signora Ardavi era terrorizzata dagli aghi e strinse la borsetta così forte che le sue dita divennero bianche; si guardava intorno in quella sala d'aspetto pateticamente allegra, con i consunti giochi di legno e le decorazioni da asilo. Per solidarietà faceva male l'orecchio anche a lei. Le tornò in mente quella volta che aveva schiaffeggiato troppo forte Ali sulle orecchie, e lui aveva pianto per tutto il giorno e si era addormentato con il pollice in bocca.

In presenza di Hassan stette ben attenta a non dire nulla, ma il giorno dopo a colazione chiese: «Elizabeth, tesoro, ti ricordi di quella passeggiata che abbiamo fatto ieri l'altro?»

«Sì» rispose Elizabeth mentre preparava una spremuta di arancia per Hilary, che era tornata di buonumore e stava divorando un'enorme colazione.

«Ti ricordi? Avevo detto che sarebbe stato meglio se mettevi un berretto a Hilary. Come vedi, avresti dovuto esser più prudente. Per colpa tua si è ammalata. Avrebbe potuto morire. Lo capisci, adesso?»

38

« No » ribatté Elizabeth.

La sua conoscenza della lingua persiana era davvero così scarsa? Ultimamente sembrava essersi ristretta e indurita, come un tozzo di pane secco. La signora Ardavi sospirò, ma non si arrese: « Vedi, senza berretto... » Elizabeth allora mise giù l'arancia, prese Hilary e uscì dalla cucina. La signora Ardavi le seguì con lo sguardo, chiedendosi se avesse detto qualcosa che non andava.

Per tutta la giornata Elizabeth rimase nella sua camera a pulire cassetti e armadi. Un paio di volte la signora Ardavi si avventurò fin sulla soglia, dove rimase a guardare imbarazzata. Hilary giocava per terra con una bottiglia di profumo vuota. Elizabeth stava buttando via una montagna di cose: camicie senza bottoni e maglioni sformati, calze, pettini e rossetti finiti. « Vuoi che ti dia una mano? » chiese la signora Ardavi, ma Elizabeth rispose: « No, grazie, mi arrangio ». La sua voce era allegra, ma quando quella sera rientrò, Hassan salì al piano di sopra e si fermò a lungo dietro la porta chiusa.

Per cena la signora aveva preparato una zuppa particolarmente raffinata, il piatto preferito di Hassan sin dall'infanzia, ma lui non commentò. Non aprì quasi bocca, in realtà. Più tardi, quando Elizabeth era di sopra per mettere a letto Hilary, disse: « Khanom-jun, devo parlarti ».

«Sì, Hassan» rispose lei mettendo da parte il lavoro a maglia. Si sentì impaurita dal suo tono grave, dai grossi baffi neri e dagli occhi scuri come quelli di suo padre. Ma che aveva mai fatto? Intrecciò le mani e lo guardò deglutendo.

«Ho sentito che ti intrometti» disse.

«Io, Hassan?»

«Elizabeth non è tipo da accettarlo, e mi sembra che stia tirando su bene la bambina.»

«Ma certo» assentì sua madre. «Ho forse mai detto il contrario?»

«E allora dimostralo. Non criticarla.»

«Benissimo» disse lei, afferrò il lavoro a maglia e riprese a contare i punti come se la conversazione non avesse mai avuto luogo. Ma quella sera fu insolitamente taciturna, e alle nove annunciò che si ritirava. «Così presto?» chiese Hassan.

«Sono stanca» rispose, e si allontanò con la schiena molto dritta.

La sua stanza l'accolse come un nido. Tutte le superfici portavano segni della sua presenza: stoffe, pizzi, tessuti con motivi cachemire. Lo scrittoio era coperto di immaginette in cornici dorate e fotografie delle sue sorelle durante i raduni di famiglia. Sul davanzale c'erano piantine in vasi di plastica arancioni e verde acqua, i colori americani che preferiva. Sul comodino c'erano flaconi di medicine, un rosario d'avorio e un mattoncino di terra santa. Il resto della casa era spoglio e impersonale, quella stanza invece era rassicurante come il suo velo.

Tuttavia non dormì bene. I soliti spettri tornarono a scombussolarle i pensieri. Perché tutto le andava così storto? Suo padre aveva preferito i suoi fratelli, e anche dopo tanti anni quella consapevolezza la straziava. A suo marito aveva dato tre figli, ma lui l'aveva accusata di essere fredda. E quale conforto le davano, i figli? Se fosse rimasta in Iran un po' più a lungo, Babak le avrebbe chiesto di andarsene, l'aveva capito. Aveva cominciato ad avvertire una certa mancanza di rispetto da parte della moglie, una certa ribellione contro i suoi consigli che Babak non aveva voluto ammettere neppure quando sua madre gliel'aveva fatta notare. E Hassan era ancora peggio, sempre così testardo, sempre troppo indipendente. Gli aveva offerto qualsiasi cosa pur di farlo rimanere in Iran, ma lui aveva detto di no, aveva deciso di abbandonarla. E si era rifiutato di portarsi dietro sua cugina Shora come moglie, benché tutti gli avessero detto che si sarebbe sentito molto solo. Era stato così desideroso di fuggire, di andarsene, e quando era arrivato in questo paese duro non aveva trovato niente di meglio da fare che mettersi con una ragazza cristiana. Oh, avrebbe dovuto ridere quando lui partiva, risparmiare le lacrime per qualcuno che se le meritasse. Non avrebbe mai dovuto venire qui, mai chie-

41

dergli nulla. Quando finalmente si addormentò, ebbe l'impressione che i suoi occhi restassero aperti, spalancati e secchi sotto le palpebre.

Si svegliò con il mal di denti. Riusciva a stento a camminare, per il dolore. Era appena venerdì, e aveva il primo dei suoi appuntamenti il lunedì successivo, ma il dentista la ricevette nel pomeriggio e le estrasse il dente. Elizabeth disse che non era nulla, invece le fece male. Elizabeth non diede importanza alla cosa, la considerava solo un'interruzione della sua routine quotidiana; trovò una babysitter per Hilary e non volle nemmeno chiamare a casa Hassan dal lavoro. «Tanto, cosa potrebbe fare lui?» disse.

Così quella sera, quando rientrò, Hassan fu sorpreso di trovare sua madre con un tampone di ovatta insanguinato che le sporgeva dalla bocca come un lungo dente. «Che ti è successo?» chiese subito. Come se non bastasse, Hilary strillava e aveva pianto per tutto il pomeriggio. Con una smorfia di dolore la signora Ardavi si coprì le orecchie. «Vuoi far stare zitta quella bambina, per favore?» disse Hassan alla moglie, e poi: «Penso che sarà meglio mettere a letto mia madre». L'accompagnò su per le scale e lei, riconoscente, si appoggiò al suo braccio. «È più che altro il cuore» gli disse. «Lo sai quanta paura ho dei dentisti.» Hassan ripiegò il copriletto e l'aiutò a distendersi, e la signora Ardavi chiuse gli occhi piena di gratitudine coprendosi la fronte con un braccio. Perfino il conforto di un tè caldo le fu negato: solo bevande fredde per dodici ore. Hassan le portò un bicchier d'acqua con il ghiaccio. Era molto premuroso, le parve. Sembrava scosso quanto lo era stata Hilary. Per tutta la sera continuò a tornare da lei, e anche durante la notte lo sentì salire due volte e fermarsi ad ascoltare davanti alla porta della sua stanza. Sentendola gemere, Hassan le chiese: «Sei sveglia?»

«Sì» rispose.

«Hai bisogno di qualcosa?»

«No, grazie.»

Di mattina scese le scale a passi lenti, tenendosi saldamente al corrimano. «È stata una notte molto difficile» riferì. «Alle quattro ha cominciato a pulsarmi la gengiva, è normale? E poi penso che queste pastiglie analgesiche americane non mi facciano andare di corpo. Magari un po' di succo di prugne potrebbe rimettermi in sesto.»

«Te lo porto io» disse Hassan. «Tu siediti. Hai preso la magnesia?»

«Sì, certo, ma mi sa che non basti.»

Elizabeth porse un piatto di pancetta a Hassan senza nemmeno guardarlo in faccia.

Dopo la prima colazione, mentre Hassan e sua madre bevevano ancora il loro tè, Elizabeth si mise a riordinare la cucina facendo un gran baccano. Sistemò le posate e poi passò in rassegna un groviglio di utensili, eliminando spatole piegate e pinze arrugginite. «Posso aiutarti?» chiese la signora Ardavi. Elizabeth scosse la testa. Ogni tanto aveva questi raptus e buttava via tutto quello che le sembrava inutile. Ora era in piedi sul ripiano della cucina e vuotava completamente gli scaffali più alti: cracker, cereali, vasetti di spezie usati a metà. Sulla mensola più alta trovò una scatola di alluminio a fiori con una scritta in persiano, dimenticata dal giorno in cui sua suocera l'aveva portata. «Oh!» esclamò la signora Ardavi. «Che sorpresa sarà per Hilary!» Elizabeth sollevò il coperchio e fu investita da una nuvola di farfalline grigio-marroni con le ali a forma di V. Le sfiorarono il viso, le passarono tra i capelli e si riunirono sul soffitto dove oscurarono il lampadario. Elizabeth lanciò la scatola lontano da sé e scese dal ripiano. «Ma guarda!» disse la signora Ardavi sorpresa. «Quelle ci sono anche da noi!» Hassan appoggiò la tazza. Sul pavimento noci e uvette rotolavano in tutte le direzioni, mentre altri insetti si alzavano in volo. Elizabeth si sedette sulla prima sedia che trovò e si coprì il viso con le mani. «Elizabeth?» disse Hassan.

Ma lei non lo guardò nemmeno, e alla fine si

alzò e andò al piano di sopra chiudendo la porta della camera da letto con un clic lieve ma deciso, che sentirono fino in cucina perché stavano con le orecchie ben aperte.

«Scusa un momento» disse Hassan a sua madre.

Lei annuì fissando il tè nella tazza.

Quando suo figlio fu andato, cercò Hilary e la prese sulle ginocchia per cantarle qualche filastrocca popolare, sforzandosi al contempo di captare qualcosa dal piano di sopra. Ma Hilary si divincolò e andò a giocare con un camion. Poi Hassan tornò giù. Non disse nulla di Elizabeth.

Il giorno dopo la signora Ardavi si sentiva un po' meglio, ed ebbe una breve conversazione molto civile con suo figlio nella propria stanza. Hassan le chiese per quanto tempo potevano sperare che si fermasse. Lei rispose che in verità non ci aveva pensato. Allora Hassan disse che in America era consueto avere ospiti in casa fino a un massimo di tre mesi. Per periodi più lunghi si usava offrire loro un appartamento nelle vicinanze, che lui sarebbe stato molto lieto di procurarle appena l'avesse trovato, forse già la settimana seguente. «Oh, un appartamento» ripeté sua madre colpita. Ma lei non aveva mai abitato da sola in vita sua, e dopo un silenzio di congrua durata dichiarò che le sarebbe dispiaciuto che dovesse sostenere una simile spesa per causa sua. «Soprattutto» aggiunse «dal momento che pensavo di partire comunque tra breve, perché ho nostalgia delle mie sorelle.»

«Molto bene allora» replicò Hassan.

Quella sera, a cena, Hassan annunciò che sua madre aveva nostalgia delle sorelle e desiderava partire. Elizabeth posò il bicchiere. «Ma come...» protestò.

«E naturalmente la moglie di Babak avrà bisogno di me per il parto» aggiunse la signora Ardavi.

«Be', ma... e il dentista? Doveva iniziare la cura lunedì» obiettò Elizabeth.

«Oh, non importa» rispose la signora Ardavi.

«Potrà andare da un dentista una volta tornata a casa» fece notare Hassan a Elizabeth. «Anche in Iran ci sono dentisti, cosa credi, che siamo barbari?»

«No» tagliò corto Elizabeth.

La sera del tre di marzo Hassan accompagnò sua madre all'aeroporto. Era preoccupato per la strada, scivolosa in seguito a una nevicata. Non trovava molto da dire a sua madre. E quando furono arrivati mantenne volutamente la conversazione su argomenti superficiali come il controllo dei biglietti, gli orari di partenza, il peso dei bagagli. Risultò che aveva quattordici chili di sovrappeso, e non si riusciva a capire perché, dato che aveva con sé solo i suoi vestiti e qualche regalino per le sorelle. «Perché sono così pesanti?» volle sapere Hassan. «Cos'hai qui dentro?» Ma sua madre disse che non lo sapeva e si sistemò il foulard rivolgendo lo sguardo altrove. Hassan si chinò su una valigia di cuoio lavorato. All'interno trovò tre bottiglioni da vino a forma di urna vuoti, le lenzuola del suo letto, di una stoffa che non c'era bisogno di stirare, e un pacco omaggio di detersivo arrivato per posta il giorno prima. «Ascolta» disse Hassan, «ma lo sai quanto mi tocca pagare per farti portare queste cose? Che ti prende?»

«Volevo solo mostrarle alle mie sorelle» confessò mestamente sua madre.

«Be', guarda, non mi pare proprio il caso. Cos'altro hai qui dentro?»

Ma qualcosa, nel vago sguardo infantile della madre puntato su qualche oggetto lontano, gli fece cambiare idea. Non aprì le altre valigie. Si pentì anzi di essere stato troppo brusco, e quando fu annunciato il suo volo la abbracciò forte e la baciò sulla testa. «Che Dio ti protegga» disse.

«Addio, Hassan.»

Sua madre s'incamminò per il corridoio, sola dietro una fila di uomini d'affari. Tutti portavano il cappello, lei il suo foulard, e di tutti i passeggeri solo lei, saldamente avvolta nel suo scialle, con quei suoi passetti decisi sul lucido pavimento, era inconfondibilmente straniera.

ZIO AHMAD

Era arrivato negli Stati Uniti da meno di un'ora quando telefonò. «Ho una chiamata a carico del destinatario» disse l'operatore, «dal signor Ahmad Ardavi. Accetta di...»

«Pronto? Pronto?» gridò zio Ahmad. «Qui parla Ahmad! Sono Ahmad!»

Aveva risposto Elizabeth, e avrebbe voluto passare la telefonata a suo marito, ma zio Ahmad non le diede il tempo di farlo. «Sarò lì tra poco!» gridò. «Sono appena arrivato dall'Iran! Prendo il treno per Baltimora! Hassan viene a prendermi?»

«Sì, certo, ma non vuoi...»

«Il treno delle dieci di sera. Dillo a Hassan, digli che Ahmad sta arrivando. Ciao, a dopo!»

Riagganciò. Scese il silenzio.

«Posso addebitarle la chiamata?» chiese l'operatore.

Ahmad era la pecora nera della famiglia: era il più allegro, confusionario e vizioso, frequentatore di palestre per lottatori e di bische, gran bevitore in una famiglia musulmana, fumatore di oppio, divorziato due volte, il genere di uomo che fa stringere le labbra e scuotere la testa alle mogli degli amici. Elizabeth non l'aveva mai incontrato di persona, ma le sembrava di conoscerlo bene, tante volte aveva sentito parlare di lui dalle zie e dalle nipoti che erano state a trovarli. Tutte le donne della famiglia lo disapprovavano.

Gli uomini invece lo adoravano.

Suo marito era davanti allo specchio della camera da letto che si abbottonava il cardigan. Di solito non si guardava allo specchio. Anche quando si radeva, teneva lo sguardo fisso sull'immagine riflessa del rasoio. Ma per suo zio Ahmad si era messo davanti allo specchio con uno sguardo solenne, attento, quasi volesse studiarsi. Elizabeth era alla sua destra e lo guardava con i pollici infilati nei passanti dei jeans. Lei non sarebbe andata alla stazione, perché a quell'ora le bambine erano già a letto. E del resto immaginava che Hassan e suo zio avrebbero gradito passare qualche momento da soli. Si vedeva allo specchio come un liquido biondo traslucido, accanto al marito più scuro e compatto. Lui si pettinò, e si lisciò i baffi con la mano curva. «Spero solo che i suoi modi non ti offendano» disse.

«I suoi modi?»

«Quando è in buona, mangia il riso con le mani, seduto per terra a gambe incrociate.»

«Le bambine lo adoreranno» commentò lei.

Hassan non sorrise. Prese alcuni oggetti dal comò – portafoglio, chiavi, monete – e li distribuì nelle tasche. «A casa» disse mentre studiava un biglietto dell'autobus usato, «le donne non fanno che dirgli di usare il cucchiaio, abbassare la voce, mostrare un po' di rispetto. Dicono che rovina la pace in famiglia.»

«Non preoccuparti per me» lo rassicurò lei.

«Pensa che una volta portò una pizza a zia Eshi durante il Ramadan.»

«Io non seguo il Ramadan.»

«La zia gli disse che lei digiunava, e allora lui si sedette e si mangiò la pizza.»

«Vedrai che andrà tutto bene» insisté Elizabeth.

«Era una pizza con le *salsicce*» precisò Hassan. Poi scoppiò a ridere, e il suo viso assunse una forma a rombo, più chiaro, più allegro. Per un momento Elizabeth vide come doveva essere stato da bambino.

Lo zio Ahmad era alto più di due metri, snello, imponente, giallo come una cipolla. Aveva un bel viso, una pelle che sembrava cuoio, e basette color grigio ferro; il cocuzzolo era completamente calvo. A Elizabeth faceva venire in mente un Mastro Lindo abbronzato. Aveva anche una posa da Mastro Lindo, quando gli aprì la porta, con le braccia conserte, i piedi larghi in mezzo a una quantità di bagagli. All'inizio si limitò a sorriderle, con i suoi occhi dorati, curiosamente tartareschi, velati e stretti; poi esclamò: «Elizabeth!» e allargò le braccia con slancio e l'abbracciò. Odorava di una qualche acqua di colonia speziata e pungente, che le fece prudere il naso come uno sternuto. Aveva il torace duro come un muro di mattoni. La fece sentire al riparo, protetta. Tutto sommato però non doveva essere alto due metri. Era solo la sua postura, forse, o la sua voce tonante o la sua sicurezza: la sua *presenza*. Riusciva facilmente a guardargli sopra la spalla e dietro di lui vide Hassan, che arrivava sul marciapiede con altre tre borse.

Una volta in casa, zio Ahmad attraversò il salotto strofinandosi le mani e guardandosi intorno. Era da poco iniziata la primavera e faceva fresco, Elizabeth aveva acceso il fuoco nel caminetto. «Bello, molto bello» disse zio Ahmad. «Quanto costa questa casa? Ne compro tre.» Scoppiò a ridere e poi guardò Elizabeth corrugando la fronte. «Dove sono le bambine?» chiese.

«Sono andate a letto.»

«Cosa? Già?» Sollevò il polsino (tutti i suoi gesti erano larghi un chilometro) e guardò un enorme orologio d'oro. «Le dieci e mezzo!» esclamò. «Perché non le hai lasciate aspettare zio Ahmad?»

Elizabeth sentì di avere già fallito la prova; si era dimostrata preoccupata come tutte le altre donne. «Be'» disse, «magari posso vedere se sono...»

Ma lui la interruppe: «Domattina, allora» disse, e le diede una pacchetta sulla spalla. «Aspetta! Dimenticavo» esclamò, e prese la valigia più grande, l'aprì e ne estrasse alcune scatole avvolte nella carta velina. «Guarda cosa ti ho portato: pistacchi, *baklava*...» Impilò le scatole tra le sue braccia. Il profumo speziato della colonia avanzava e si ritraeva. A Hassan diede una cravatta di seta azzurra. Poi gli prese la testa fra le mani e lo baciò su entrambe le guance. «Ah, Hassan» disse. «Sono un uomo solo. Sono contento di vederti.» Poi si rivolse a Elizabeth e spiegò: «A casa ho perso tutti gli amici. Nessuno mi vuole bene».

«Oh, ma figurati, non può essere vero» disse Elizabeth.

Lui parve interessato. «Perché no?» chiese.

«Be', voglio dire che...»

«Non mi sopportano, sono troppo faticoso. I miei amici vogliono stare in pace. Dicono: 'Vai via, Ahmad, sono stanco, non disturbarmi, voglio stare in pace con mia moglie'. Non mi resta più nessuno. Mi porti del whisky, per favore? »

« Ma certo » rispose Elizabeth.

Andò in cucina e ne versò un bel bicchiere, ricordandosi di aver sentito che tracannava il whisky a litri. Quando tornò, lui e Hassan erano seduti sul tappeto davanti al caminetto. Zio Ahmad si era tolto le scarpe e le calze, e aveva la camicia mezza sbottonata e i pantaloni arrotolati fino alle ginocchia. Aveva i piedi lunghi e molto arcuati; i polpacci segnati dai muscoli, robusti. Sembrava occupare metà del salotto. « Ah! » esclamò quando la vide; le prese la mano e la fece sedere accanto a sé. Poi buttò giù il whisky fino all'ultima goccia, cingendola con un braccio. « Ottimo » disse una volta finito. Le sorrise, mostrando due file di denti storti e macchiati dal tabacco. « Dopo ne prendo ancora, ma più tardi » le disse. « Meglio non bere troppo prima di fumare. »

Elizabeth trovò finalmente le parole per descriverlo: era straordinario. Si sentiva a suo agio, protetta dal suo braccio. La casa le sembrava più piena ora, in un certo senso; suo marito aveva un aspetto arruffato, ingombrante, e il salotto era una baraonda di carta velina e valigie aperte. Zio Ahmad parlava molto, a volte in persiano, e allora lei doveva concentrarsi sulle sue parole. Era stufo da morire dell'Iran, disse. Ne aveva abbastanza di quella gente meschina.

Si sarebbe fermato per un mese, non poteva assentarsi più a lungo dai pozzi petroliferi, ma la prossima primavera, compiuti cinquant'anni, voleva andare in pensione, prendere tutti i suoi soldi e partire. Forse per l'America. «Perché no?» disse in inglese. «Sono un plurimilionario. E la lingua non è un problema; a casa ho a che fare tutti i giorni con clienti americani. Verrò a vivere a Baltimora vicino a te, Hassan, e a te, Elizabeth, i miei nipoti preferiti.»

«Ne saremmo molto felici» gli assicurarono.

Poi prese il portafoglio e tirò fuori la tavoletta nera di oppio che aveva fatto seccare a casa per il viaggio. Lui e Hassan si sedettero vicini per fumarne un pezzetto in una pipa foderata di carta stagnola. I loro volti ora erano calmi e meravigliosi; la loro pelle divenne lucida come una buccia di limone. E perfino Elizabeth, che non fumava mai niente, cominciò a sentirsi vagamente inebriata da quell'odore di rose bruciate che aleggiava nel salotto.

Le bambine lo adoravano. Portava Jenny a cavalluccio sulle spalle, e apriva con i denti le bottigliette di Coca per Hilary. Faceva strani rumori come scoppi di tappi di spumante, e poi si guardava intorno nella stanza: «Chi è stato? Eh? Chi è stato?» Mescolava le carte formando ponti, spirali, archi volanti, e poi le riuniva nel mazzo e rovesciava la testa indietro e rideva. Quando rideva faceva tremare la casa fino in cantina. Le catene e i ciondoli sul suo petto brizzolato tintinnavano, i suoi occhi si inclinavano e si stringevano. Jenny e Hilary erano incantate. Non lo trovavano mai divertente, anche se lui avrebbe voluto esserlo. Sembravano convinte che fosse una sorta di genio. Di mattina la prima cosa che chiedevano era: «C'è ancora, zio Ahmad?» quasi temessero che fosse scomparso durante la notte. Ripetevano la stessa domanda al ritorno da scuola, correvano per la casa a cercarlo. «Dov'è andato? È qui?»

«Buu!» esclamava lui sbucando da qualche parte, e loro assumevano subito quell'aria speranzosa e fiduciosa dei bambini allo spettacolo di un prestigiatore, pronte a essere sbalordite.

Quando però si stancava di giocare diventava brusco; le spaventava quasi. «Adesso basta» diceva. Si lasciava cadere su una sedia, alzava languidamente una delle sue mani enormi. «Basta, andate via.» E se ne stava lì, con un'aria triste e imbronciata, con gli angoli della bocca tirati giù in due pieghe profonde. «Ah...» diceva rivolto al tappeto. Prendeva una Camel, se la accendeva con il sottile accendino d'oro e la teneva con aria assente tra le dita macchiate di nicotina e cariche di grossi anelli d'oro e turchesi. Oppure estraeva dalla tasca il suo *tasbish* d'ambra e si faceva passare i grani tra le dita, avanti e indietro, non distrattamente, come gli altri, ma con una specie di abilità sprezzante, a due a due, con uno scatto alla fine, quando arrivava alla nappina di seta e ricominciava da capo, senza mai guardare le perle né dare l'impressione di accorgersi di averle in mano. «Ah, Lizzie» diceva stiracchiando le gambe, «sono vecchio, proprio vecchio...»

La chiamava Lizzie. Non era mai stata chiamata così in tutta la sua vita, non l'avrebbe permesso a nessuno, ma detto da zio Ahmad sembrava un onore. Tutto quello che faceva lui era circondato da una sorta di strana luce gialla. Il giallo, in realtà, era il suo colore, il colore della sua pelle, dei suoi occhi, dei suoi denti, delle sue unghie opache, del suo *tasbish* e dei suoi gioielli. Perfino le sue camicie erano quasi tutte gialline: di seta color avorio, senza dubbio costose, arricciate ai polsi e in vita e aperte quasi fino all'ombelico. Avrebbe potuto essere un pirata, o un giocatore d'azzardo in un battello sul fiume, o qualsiasi cosa. Ada, un'amica di Elizabeth, quando passò per restituire una terrina lo vide dalla porta e le chiese a voce bassa: «Scusa, ma che ci fa Yul Brynner seduto nel tuo salotto?»

Al che Elizabeth, fiera, allargò le braccia e sorrise: «Non chiederlo a me, sarà che qui gli piace».

*

Zio Ahmad confidò a Hassan di sentirsi ingannato dalla vita. «Cosa mi resta?» gli chiese. (Lo disse in persiano, fumando la pipa, quando Elizabeth era andata a dormire da un pezzo. Dopo Hassan le avrebbe raccontato tutto, con le sopracciglia inarcate, quasi studiasse ancora una volta ciascuna parola prima di ripeterla.)

«Cosa mi resta, in fondo?» ripeté zio Ahmad. «Ho avuto un destino difficile, un'infanzia orribile. Tu non hai conosciuto tuo nonno, ma era un uomo molto egoista, avaro. Spendeva tutte le sue ricchezze per i suoi piaceri. Aveva mogli, amanti, girava l'Europa e raccoglieva le idee più moderne... ma a noi non fece nemmeno frequentare scuole decenti. Portava un'enorme pelliccia bianca russa molto pregiata, mentre noi figli eravamo vestiti di stracci. Credimi, Hassan, nella nostra famiglia siamo sempre vissuti ognuno per sé. Noi non ci sosteniamo a vicenda, ci guardiamo solo dentro, abbiamo tutti tendenze depressive... Oh, se potessimo essere come sogno io! Sostenerci l'un l'altro, darci coraggio, affetto, forza. Ma questi Ardavi hanno bisogno di tutto il loro coraggio già soltanto per vivere una giornata.

«Tuo padre ha avuto una vita più facile, lui era il figlio maggiore, il favorito di tuo nonno. Non che fosse più felice per questo, poveretto.

Io invece ero sempre la pecora nera. Non so perché. Sono una persona simpatica, no? Lui però non mi poteva vedere. Così mi dicevo: 'Va bene, aspetta e vedrai, quando sarò grande diventerò ricco. Non mi mancherà niente, non dovrò chiedere niente a nessuno'. Ed è andata proprio così. Ho fatto strada, Hassan. E l'ho fatta da solo. Ho cassetti pieni di camicie che non ho ancora mai messo. Porto scarpe confezionate a Roma, e abiti fatti a Londra. Uno di questi giorni compro un bel po' di gioielli e vado a Teheran, a fare pace con le zie. Non pensi che cederanno? Sono contente di me, sotto sotto. Hanno anche bisogno di me.

«Ma i soldi, cosa sono i soldi? La mia prima moglie, Maryam... be', lei è stata uno sbaglio di gioventù, lasciamo perdere. Ma poi Pari! Le compravo qualsiasi cosa, le davo tutto quello che voleva, vestiti nuovi ogni giorno dell'anno. Quando i vestiti erano da lavare, lei li buttava via e ne comprava di nuovi. Lo stesso non era contenta. Non potevo nemmeno pulirmi i denti a tavola, perché lo trovava offensivo. 'Questo tavolo l'ho comprato io' le dicevo. 'E ho comprato la carne che mi è rimasta tra i denti e anche lo stecchino. Avrò il diritto di pulirmi i denti, sì o no?' Una donna così ti rovina la vita, Hassan-jun, credimi.

«Alla fine è diventata cattiva e pedante, meschina come tutte le donne. Sempre a lamentarsi e a criticare. Diceva che ero troppo rumoroso, troppo volgare, troppo egocentrico. Poi cominciò a depilarsi le sopracciglia e assunse quell'aria tronfia, e allora dissi basta! Basta con le donne! Sì, magari una ogni tanto qua e là, ma... e ha già rovinato anche mio figlio. Ti ricordi di Jamal? È un debole, una femminuccia, sua madre non mi ha mai permesso di insegnargli a combattere. 'Oh, no, gli faresti male, sei così rude, tu, non fai che dare spintoni...' Adesso lavora alla banca Melli, un lavoro da checca, non lo vedo mai. È tutto qua, quello che mi rimane? Non c'è proprio nient'altro?

«Ah, baba» disse tirandosi l'orecchio, «a volte ho la sensazione di avere consumato la vita ancora prima di arrivare in fondo.»

E rise, ma poi scosse la testa e curvò in giù gli angoli della bocca mentre si accendeva la pipa con un fiammifero.

Il profumo della sua colonia aveva invaso la casa. Le bambine se lo portavano a scuola sui vestiti, e i loro amici chiedevano cosa fosse quell'odore. La sua confusione di scarpe smesse, pacchetti di sigarette appallottolati e fazzoletti di seta con disegni cachemire cresceva in ogni stanza. Il suo bucato (biancheria a coste blu e marrone e di altri colori sorprendenti) tingeva quello di tutti gli altri. Lui li avvolgeva tutti.

Di mattina si alzava tardi, dopo che Hassan e le bambine erano usciti, andava in cucina scalzo e si preparava il tè sul fornello a gas. Una fiamma enorme avviluppava il piccolo bollitore. (Tutto quello che faceva era esagerato.) Quando arrivava Elizabeth diceva: «Lizzie» e le appoggiava distrattamente un braccio sulle spalle. Non era lui, prima di prendere il tè, due o tre bicchieri, che beveva con una zolletta di zucchero in bocca, dietro gli incisivi superiori. Poi gradualmente raccoglieva le energie sufficienti per chiedere: «Bene! Allora, cosa facciamo oggi?»

Doveva essere intrattenuto come un bambino. E il suo intrattenimento preferito era lo shopping. La sua vita iniziava veramente alle dieci, all'apertura dei negozi.

Da Hutzler o da Stewart o da Towson Plaza correva avanti e indietro nei reparti scegliendo camicie e cravatte. Spendeva in tutto una cinquantina di dollari in prodotti di bellezza per uomo. Non riusciva a stare fermo, scalpitava di impazienza mentre un commesso imbarazzato gli prendeva le misure per un abito. Poi ripartiva, attraversava di corsa il reparto maglieria scegliendo cardigan e dolcevita, o una serie di valigie nuove in cui mettere il tutto. Ricordava a Elizabeth i vincitori di quel concorso che avevano un minuto per mettere nel carrello del supermercato quanti più prodotti possibile che poi avrebbero ricevuto in omaggio.

Una volta, mentre erano a pranzo, a un McDonald o in una tavola fredda, depennò qualche voce della sua lunga lista di scarabocchi in persiano. Aveva le mani così grandi, che la stilografica sembrava sul punto di spezzarsi; gli anelli lo intralciavano. Con un solo movimento impaziente se li sfilò tutti e li fece piovere sul foglio come chicchi di grandine. «Allora» disse. «Camicie, cravatte...» Elizabeth provò uno degli anelli. Era grande come un portatovagliolo, e caldo, quasi bollente.

«Dove posso trovare un impermeabile come quello di Hassan?» le chiese. «Ne voglio uno uguale.»

«Oh... forse da Hutzler.» Si sentì improvvisamente stanca. Perfino mangiare le costava fatica. «Ma scusa» disse, «in Iran non vendono vestiti? Sono troppo cari, o cosa?»

«Eh?» fece lui con aria assente. «No, no, ce ne sono abbastanza, ma io voglio vestiti americani. Voglio un impermeabile come quello di Hassan. Voglio tutto quello che ha Hassan, tutto.»

Rise. Gli altri avventori si girarono a guardarlo con la stessa espressione speranzosa che in sua presenza assumevano i bambini.

Dopo pranzo andavano spesso in qualche negozio di chincaglieria. Aveva un debole per

gli oggetti ingegnosi, come il cucchiaino buche-
rellato di Elizabeth per mettere in infusione il
tè. Ne comprò tre. E tre Buttoneer, per attacca-
re bottoni senza filo, e tre rasoi Trac II, e tre ma-
tite autoadesive per il telefono. Pagava con
manciate di banconote da dieci dollari di cui
sembrava avere una riserva inesauribile. O a
volte firmava un travellers' cheque, con quella
firma – « Ahmad Ardavi » – che nei nostri carat-
teri sembrava così stranamente piccola e storta.

Poi alle due, due e mezzo, perdeva improvvisamente ogni interesse per gli acquisti, era come se si afflosciasse. « Andiamo » le diceva. Allora si avviavano verso l'automobile con il sedile posteriore pieno di pacchi. Zio Ahmad zop-
picava vistosamente come un soldato che torna
dalla guerra. Si sedeva e sospirava: « Lizzie,
Lizzie, Lizzie » e si lasciava portare a casa in silenzio con la mano appesantita dagli ori fuori
del finestrino.

Una volta quando arrivarono a casa trovaro-
no davanti alla porta un dépliant di un grande
magazzino; in copertina c'era un uomo con addosso un maglione pesante. « Ah! » esclamò zio
Ahmad vedendolo. « Ecco quello che mi serve!
Lo vedi? Solo che io lo voglio in beige. »

« Ma zio Ahmad » protestò Elizabeth, « ce
l'hai già. »

« Ah sì? »

«L'hai comprato la settimana scorsa, per quaranta dollari. Hai già tutto. Cos'altro vuoi?»

Era stufa, il suo tono di voce lo lasciava intendere chiaramente, ma zio Ahmad non si offese. Anzi, parve soddisfatto. «Hai ragione» disse. «Sono un uomo avido. Voglio avere tutto. Non è così?» e rovesciò la testa indietro e rise. «Voglio! Voglio! Voglio!» ripeté.

A Elizabeth la sua bocca sembrava una caverna, e non riusciva a credere che potesse tenere tanti pacchi fra le lunghe braccia muscolose.

A un certo punto zio Ahmad cominciò a chiamare tutti i parenti che aveva in America. Prendeva i numeri dalla rubrica di Hassan. Elizabeth era convinta che stesse fumando il suo oppio pomeridiano, invece lui era al piano di sopra seduto sul suo letto che telefonava a Chicago, Boston e Minneapolis. Quando entrò con una pila di lenzuola pulite, lo vide lì che parlava in persiano. «Ma no, baba, vieni pure, c'è un sacco di spazio qui, che vita è, se non ci sei tu?» Elizabeth rimase ad ascoltare appoggiata allo stipite della porta. Notò la rubrica di pelle aperta sulle sue ginocchia. Chissà quante altre telefonate aveva già fatto prima di quella. C'erano talmente tanti Ardavi a studiare negli Stati Uniti che avrebbero potuto formare una scuola. Quando ebbe riagganciato, gli chiese: «Chi era, zio Ahmad?»

«Tuo cugino Kurosh» rispose lui. «È troppo tempo che Hassan non lo vede.»

Ma sembrava a disagio, e visto che Elizabeth rimaneva lì, si grattò la testa, rifletté un momento, poi si decise finalmente a richiudere la rubrica e si alzò. «Vado a fumare» annunciò.

Di sera, quando Hassan rientrò, zio Ahmad gli disse di avere invitato un paio di parenti per il fine settimana.

«Cosa?» sbottò Hassan.

«Solo familiari stretti, Hassan-jun.»

«Ma potrebbero essere duecento!»

«Caro nipote» disse zio Ahmad, «che male c'è, a organizzare una piccola festicciola ogni tanto? Siete troppo soli, qui. Io sono un uomo, Hassan, voglio fare cose, divertirmi, vivere!» E spalancò le braccia. «Non sono uno di quelli che se ne stanno soli tutto il tempo, io» precisò.

«Ritelefona» disse Hassan.

«Cosa?»

«Ritelefona e disinvitali.»

«Ma Hassan! Come vuoi che faccia una cosa del genere!» protestò zio Ahmad.

«Cosa credi, che siamo a casa, qui?» chiese Hassan. «Credi che siamo a Teheran con venti servitori per rifare i letti e cucinare per tutti? Se vuoi vederli, vai a trovarli tu. Oppure avvertici prima, invitali uno alla volta. Non puoi pretendere che Elizabeth si organizzi così di punto in bianco.»

Zio Ahmad lasciò cadere le braccia e guardò Elizabeth. Aspettò. Lei capì che quello era il momento in cui farsi avanti e dire che ovviamente per lei non era un problema, che avrebbero organizzato una bella festa; non era certo come quelle sue parenti noiose. Solo che non lo fece, benché sospettasse che anche Hassan l'avrebbe desiderato. Rimase lì tranquilla a guardare le bambine che giocavano a carte, come se nulla di tutto ciò la riguardasse.

Allora zio Ahmad disse: «Va bene, Hassan» e andò verso il telefono. Lo sentirono comporre un numero e parlare; poi un altro numero e un altro... «Ma quanti erano?» chiese Hassan.

«Non lo so» rispose Elizabeth.

«Già solo la bolletta del telefono... Devi stargli dietro di più, Elizabeth.»

«Ma cos'altro devo fare, scusa? Gli compro i vestiti, gli preparo il tè, lo seguo con il deodorante quando fuma l'oppio... devo mettergli il guinzaglio?»

«Mah...» disse Hassan, e si lasciò cadere su una sedia con lo sguardo fisso nel vuoto. «È che gli ho sempre voluto così bene...»

«Ma certo» disse Elizabeth.

«Tra tutti i parenti era il mio preferito.»

«Certo, Hassan, è una persona meravigliosa.»

«Solo che adesso, non so» disse Hassan. «È difficile.»

E continuò a fissare il vuoto scuotendo piano la testa.

Zio Ahmad in effetti ritirò l'invito a tutti quelli che gli vennero in mente, ma dimenticò due persone: Kurosh e un secondo cugino acquisito che si chiamava Hamid. O forse lo fece di proposito. Fatto sta che Kurosh arrivò sabato pomeriggio con una moglie iraniana incinta e due bambini piccoli urlanti, e Hamid poco dopo. Per loro si dovettero preparare dei letti di fortuna, dato che zio Ahmad occupava l'unica stanza per gli ospiti. Si dovette fornire un flusso continuo di tè e whisky e montagne di riso. Gli uomini fumarono la pipa e divennero sereni e filosofici, ma i bambini continuavano a strillare e la moglie di Kurosh sembrava molto infelice. Disse di essersi sposata per procura. Il giorno del matrimonio Kurosh era nel New Jersey e lei a Teheran; era stata una grande festa, con la sposa tutta in bianco e lo sposo soltanto in una foto acquarellata sul tavolo accanto ai regali. Lei avrebbe preferito che fosse ancora una foto acquarellata, le disse. Sospirava e si strofinava la pancia che le tendeva la tunica di velluto ricamata.

Stringendo gli occhi per il fumo, e immersa

in un mare di gusci di pistacchi, Elizabeth si ricordò che non tutti potevano vantare una famiglia così variopinta. Gran parte delle sue amiche avevano sposato americani, avevano parenti acquisiti del tutto insignificanti. I mariti avevano magari un paio di sorelle noiose, qualche nipote pallido, una madre con i fiori sul cappello. Immaginò la madre che veniva a cena la domenica dopo essere stata in chiesa, portando i fumetti di Charlie Brown per i nipoti. Aveva i guanti bianchi corti e un vestito di maglina doppia, un viso scialbo, dolce, solcato da simpatiche rughe.

«Ah, Lizzie-jun» esclamò zio Ahmad con i suoi luminosi occhi tartareschi, «non è questo il vero senso della vita? Mangiare, bere e fumare la pipa circondati dai propri cari?»

Era rimasto soltanto un po' di gelato in fondo alla vaschetta, ed Elizabeth dovette farlo bastare per riempire due coppette per le bambine. Era venerdì sera e non aveva ancora trovato il tempo di fare la spesa della settimana. Mise in tavola le coppette e andò a prendere i cucchiaini. Quando tornò vide zio Ahmad che teneva tra le dita la pallina di gelato di Hilary. «Ma zio Ahmad!» strillò Jenny. Zio Ahmad rideva, con la bocca spalancata, la mascella sporgente, il gelato che gli colava dalla mano. Con un cuc-

chiaino Elizabeth diede un colpetto su un bicchiere, secco, come se volesse fare un discorso
dopo cena. «Rimettilo a posto» gli ordinò.

Lui si girò e la guardò, con la bocca ancora
aperta, la mano ancora gocciolante, il sorriso
che sbiadiva. Hassan abbassò il giornale della
sera.

«Rimettilo nella coppetta» ripeté Elizabeth.

Lo zio guardò Hassan. Hassan annuì. «Su,
rimettilo nella coppetta» gli disse anche lui.

Lentamente zio Ahmad aprì il pugno e lasciò
cadere il gelato nella coppetta.

«Bene» disse infilando il biglietto nella tasca
del cappotto. «Credo di avere preso tutto.»

«Ci dispiace che tu parta» disse Elizabeth.

In realtà non vedeva l'ora che se ne andasse.
Le sembrava di avere atteso quel momento per
tutto il mese. Non riusciva a credere di avere
mai visto di buon grado il suo arrivo, o di aver-
gli servito volentieri tutti quei bicchieri di whisky. Ma ormai doveva resistere ancora soltanto
per mezzo minuto, così riuscì a sorridere e a dire: «Fai buon viaggio».

«Grazie, Elizabeth» disse zio Ahmad, e si
chinò a baciarla. La pelle del suo viso era liscia
e dura. Ma era mattina presto, non certo la sua
ora migliore, e quando si allontanò le parve che
avesse un aspetto avvizzito, come un teschio. Il

giallo della sua pelle era ramato, quasi color curry. Quando sollevò le bambine gli sfuggì un gemito.

«Verrete a trovarmi, vero?» chiese loro. «Le mie due piccole zingarelle. Vi regalerò orecchini da zingara.»

Le teneva una su ogni braccio. Così, con le gambe larghe, all'improvviso tornò a essere come l'aveva visto per la prima volta un mese prima: un uomo gigantesco, potente, generoso. Avvertì una fitta, al pensiero di perderlo. E dal suo sguardo distolto dedusse che non sarebbe più tornato. Lui riappoggiò le bambine per terra con delicatezza. Si batté le mani sulle tasche e disse a Hassan: «Allora, io sono pronto, credo».

Poi sulla porta si girò ed esclamò: «Bene! Ahmad se ne va! Ciao ciao! Addio!»

E uscì, lasciandosi dietro il suo odore di spezie e fiori bruciati e una casa più grande di prima, e più vuota, come se non andasse via soltanto lui. Elizabeth pensò che era come se si portasse via anche qualcosa di loro. Non si era mai soffermata a considerare che le persone straordinarie diventano tali consumando frammenti della vita altrui, di cui poi si sentirà la mancanza in eterno, come un braccio, una gamba, o un pezzo di cuore.

MOTO ONDOSO STABILE

Alle prime luci del mattino Bet lo svegliò e lo vestì, poi lo portò a tavola e cercò di fargli mangiare un po' di cereali. Ma lui non ne voleva sapere. Doveva avere capito che c'era qualcosa nell'aria. Insisté premendogli il cucchiaino contro le labbra, ma lui tenne i denti stretti e lo sguardo fisso verso un angolo del soffitto. Era un bambino spigoloso, con grandi occhi vitrei e capelli chiari come i suoi. Come tutti i bambini di nove anni, portava una camicia a righe e un paio di jeans, ma la camicia era troppo in ordine e i jeans troppo blu, senza toppe né chiazze scolorite, e sarebbero stati sempre così, fino a diventargli troppo piccoli. E il suo viso aveva un'aria da vecchio, era tirato, contratto, stanco, mentre avrebbe dovuto avere lo stesso aspetto intatto dei suoi jeans. Non cambiava quasi mai espressione.

Lo lasciò seduto e andò a rifare i letti. Poi tirò su le veneziane ingiallite, sciacquò qualche cucchiaio nel lavandino del bagno e raccolse qua e là pezzi di riviste che lui aveva strappato la sera prima. Vivevano in una stanza in affitto di una vecchia casa che cadeva a pezzi e, qualsiasi cosa si facesse, sembrava impossibile renderla meno opprimente. Dava sempre quella sensazione di troppe vite stratificate le une sulle altre, come gli strati di tappezzeria marroncina che suo figlio aveva staccato nell'angolo accanto al letto.

Infilò i piedi nei mocassini e si lisciò distrattamente il davanti del vestito, un abito di maglina beige molto usato che in genere teneva per la domenica. Forse doveva stringerlo un po'; le pendeva dalle spalle come un sacco. Si sentiva troppo magra e fragile, troppo debole per tutto quello che doveva fare oggi. Tuttavia prese il cappotto, se lo infilò e si annodò un fazzoletto azzurro sotto il mento. Poi raggiunse il tavolo e fece una lenta giravolta, per mostrare il cappotto. « Vedi, Arnold? » disse. « Usciamo. »

Arnold continuava a guardare il soffitto, ma il suo sguardo si riempì d'inquietudine, e allora lei capì che aveva sentito.

Andò a prendergli la giacca nell'armadio; era di velluto a coste marrone, con il cappuccio. Le era costata mezza settimana di stipendio, ma ad Arnold non piaceva; lui voleva sempre quella vecchia, una giacca rossa imbottita che già da tempo gli stava stretta. Quando gli si avvicinò, lui cominciò a gemere e a dondolarsi e a scuotere la testa. Dovette faticare per infilargli le braccia nelle maniche. Benché fosse piccolo di statura, era forte e robusto; cominciava a diventare troppo faticoso per lei. Arnold si scrollò di dosso le sue mani e corse a rifugiarsi vicino al suo letto. Però intanto aveva addosso la giacca. Non era abbottonata e aveva il colletto storto, ma non importava, anzi, così era più lui. Si dispiaceva di vederlo sempre tanto distaccato dai vestiti, come se non lo riguardassero; era così passivo, inconsapevole di tutti i bottoni e degli automatici che lei chiudeva con tanta cura, quasi vestisse una bambola.

Si guardò intorno nella stanza un'ultima volta, controllò che la piastra elettrica fosse spenta e poi prese la borsetta e la valigia di Arnold. « Vieni, Arnold, andiamo » disse.

Lui arrivò, a passi lentissimi. Guardò la valigia con sospetto, ma soltanto perché era nuova. Non aveva nessun significato per lui. « Vedi? » gli disse. « Questa è tua. È di Arnold. Viene sul treno con noi. »

Ma la sua voce era tutta sbagliata, se ne sarebbe accorto di sicuro. Mentre chiudeva la porta si fermò e lo guardò timorosa. In quel periodo bastava un nonnulla a inquietarlo. Ma non se n'era accorto. Era troppo impegnato a guardarsi intorno nel corridoio, a studiare uno specchio lentigginoso con la cornice in noce come se non l'avesse mai visto prima. Gli sfiorò la spalla. « Vieni, Arnold » disse.

Scesero le scale lentamente, aggrappandosi ben bene all'appiccicoso passamano in mogano. La valigia le sbatacchiava contro la gamba. Nell'ingresso, davanti alla porta della sua stanza, li aspettava la vecchia signora Puckett, una donna enorme, soffice, con un vestito in crêpe nero e le scarpe ortopediche. Aveva in mano un sacchetto di biscotti al burro di arachidi, i preferiti di Arnold. I suoi occhi erano pieni di lacrime. «Tieni, Arnold» disse con voce tremula. Forse si sentiva in colpa che andasse via. Ma lei aveva fatto tutto quello che aveva potuto: gli aveva fatto da baby-sitter per tutti quegli anni, e aveva gettato la spugna solo quando era diventato troppo grande e troppo difficile da gestire. Bet avrebbe tanto desiderato che Arnold desse un segnale all'anziana signora, che l'abbracciasse, che facesse il suo piccolo verso gracchiante, o anche soltanto che prendesse i biscotti. Ma lui era troppo eccitato. Corse verso la porta di casa, e dovette prenderli Bet. «Grazie, signora Puckett» disse. «Sono sicura che gli piaceranno molto.»

«Oh, non è niente...» disse la signora Puckett, e agitò le sue mani grandi e poi si lasciò andare, singhiozzando.

Furono fortunati e presero subito un autobus. Arnold si sedette al finestrino. Forse pensava di andare a lavorare con lei; quando passarono l'insegna rossa e dorata di Kresge si agitò e cercò di alzarsi. «No, tesoro» gli disse, e lo tenne per il braccio. Allora lui si calmò, e lasciò la mano nella sua per un momento. Aveva dita molto piccole, fresche, e unghie lisce come puntine da disegno.

Alla stazione Bet fece i biglietti e comprò un pacchetto di gomme Wrigley alla menta. Arnold scrutava la volta del soffitto a bocca aperta, con la testa rovesciata indietro e le braccia penzoloni lungo i fianchi. La gente lo guardava. Lei avrebbe voluto dare un pugno in faccia a quei curiosi. «Vieni, tesoro» disse, e lo spinse dolcemente verso il cancello raddrizzandogli il colletto mentre camminavano.

Non era mai stato su un treno, e si comportava in modo un po' nervoso, saltellava sul sedile, apriva e chiudeva il portacenere, e si sporgeva per vedere l'uomo davanti a loro. Appena il treno cominciò a muoversi, fece un verso simile al canto di un gallo e la tirò per la manica. «Sì, Arnold. Siamo in treno. Facciamo un viaggio» disse Bet. Scartò una gomma da masticare e gliela diede. Lui adorava le gomme, però se non stava attenta a volte le inghiottiva e la faceva preoccupare un po', perché aveva sentito che intasano i reni; ma almeno l'avrebbe tenuto occupato. Gli guardò la testa dall'alto. Sotto i capelli biondi, tagliati corti per praticità, vedeva muoversi le ossa del cranio mentre masticava. Aveva la pelle sottilissima, quasi trasparen-

79

te: a volte le sembrava di vedere il sangue che gli scorreva nelle vene.

Quando il treno raggiunse una velocità costante Arnold si calmò, e pian piano si appoggiò a lei e abbandonò le mani sulle ginocchia. Vide le sue ciglia calare lentamente – due mezzelune incolori, bordate da una frangia sottile – sempre più pesanti, e poi rialzarsi di colpo, mentre lui cercava di resistere al sonno. Non aveva mai dormito bene, mai, nemmeno da piccolo. Ancora prima di rendersi conto che qualcosa non andava, si erano meravigliati dei suoi brevi pisolini inquieti, con quelle manine che si chiudevano a pugno e si riaprivano, e quegli strani lamenti durante il sonno. Avery aveva detto che gli dava i brividi. E dopo il colloquio con il medico non aveva voluto più avere niente a che fare con Arnold; si limitava a compiere ampi giri intorno alla culla, con un'aria stordita e nauseata. Alcune settimane dopo se n'era andato. Non ne era stata sorpresa. Sapeva anche come doveva essersi sentito, più o meno. Per metà dava la colpa a lei, per metà a se stesso. Uno non può credere che una cosa del genere gli cada in testa così, dal nulla.

Lei stessa aveva avuto dei momenti in cui immaginava un gene malvagio nel corpo ordinario e robusto di suo marito, vedeva un piccolo uovo scuro, come una caramella alla liquirizia. Era tutta colpa sua. Altre volte invece era certa che il gene venisse da lei. Sembrava così naturale; lei non riusciva mai a fare niente bene come gli altri. In altre occasioni ancora dava la colpa al loro matrimonio. Si erano sposati troppo giovani, contro il volere dei suoi genitori. Il suo unico desiderio era stato quello di andare via da casa. Ora non ricordava più nemmeno il perché. Cos'era che non andava, a casa sua? Pensò alla roulotte verde dal tetto incurvato dei suoi genitori, appoggiata sui mattoni vicino a una foresta di alberi di barche a Salt Spray, nel Maryland. Dalla prospettiva attuale (i genitori erano morti, la roulotte distrutta dalla ruggine, e perfino Salt Spray era divenuta irriconoscibile) la sua vecchia vita le sembrava meravigliosamente libera e spaziosa. Chiuse gli occhi e vide cieli grigi sconfinati. Tutto era governato dal mare. Suo padre (che aveva una barca con cui portava i turisti a pescare) non poteva organizzarsi la giornata fino a quando non aveva sentito il bollettino del mare: il vento, le maree, gli avvisi ai naviganti, la forza del moto ondoso in mare aperto. Suo padre adorava la pesca, sia d'altura che da riva, e andava a nuotare tutte le volte che poteva. Aveva cercato di insegnarle a cavalcare le onde, ma non ci era riuscito. Lei aveva come un blocco, davanti alle onde alte: stringeva i denti e s'irrigidiva, e aspettava che le venissero addosso. Come se stare ferma e rigida fosse un pregio. Non riusciva a spiegarlo. Suo padre pensava che avesse paura, ma non era affatto così.

Aveva sposato Avery contro il loro volere e se n'era pentita quasi subito; si era pentita di essere andata così lontano da casa, e ancora di più quando i suoi genitori erano morti entrambi nel giro di un anno, ma più di tutto quando il suo matrimonio si era fatto triste e aveva cominciato a non funzionare più. Ma non avrebbe mai lasciato suo marito. Era stato lui ad andarsene, lei sarebbe rimasta per sempre. E in effetti era rimasta per mesi nell'appartamento in cui erano stati insieme, anche senza di lui, benché l'affitto fosse davvero troppo alto. Non perché si aspettasse di vederlo tornare. Semplicemente perché resistere le dava un po' di conforto.

Arnold alzò la testa di scatto. Si guardò intorno e produsse una sorta di gorgoglio. La gomma da masticare gli cadde sulla giacca. «Aspetta, tesoro» gli disse lei, e mise la gomma nel portacenere dalla sua parte. «Guarda fuori dal finestrino. Vedi le mucche?»

Ma lui non guardava, e cominciò a saltare sul sedile, strofinandosi rapidamente le mani.

«Arnold, vuoi un biscotto?»

Se almeno avesse portato un libro illustrato. Ci aveva pensato, ma poi se n'era dimenticata.

Si chiese se il personale sul treno vendesse riviste. Se si fosse annoiato troppo avrebbe fatto uno dei suoi capricci e poi non sarebbe riuscita a farlo ragionare. Il medico le aveva dato delle pastiglie, caso mai fosse successo, ma lei aveva paura di dargliele mentre gridava, perché temeva che potesse soffocarsi. Si guardò intorno nella carrozza. «Arnold» disse, «vedi quel... quel cappello con sopra le piume? Non è carino? E guarda quella valigia rossa! Vedi là quel...»

La porta della carrozza si aprì rumorosamente e di colpo apparve il controllore che canticchiava «Girl of my dreams, I love you». Percorse il corridoio a grandi passi, controllando i biglietti rosa infilati nell'apposita fessura sullo schienale di ogni sedile. Si fermò proprio di fronte a Bet e Arnold. Guardava una donnina nera con indosso un cappotto viola e al collo una pelliccia di volpe che si mordeva la coda. «Lei!» esclamò.

La donna guardava dritto davanti a sé.

«L'ho vista, sa. Lei è quella del bagno.»

Un piccolo muscolo nella sua guancia ebbe un guizzo.

«Lei è salita a Beulah, giusto? E si è nascosta nel bagno. È entrata di corsa, credeva di farmela sotto il naso. Ma io ho visto una chiazza viola! Dov'è il suo biglietto?»

La donna cominciò a rovistare in una borsa

di stoffa blu. E continuò a rovistare a lungo. Il controllore passava il peso del corpo da un piede all'altro.

«Mah!» disse alla fine la donna. «L'avrò lasciato sull'altra carrozza.»

«Quale altra carrozza?»

«Oh, quella...» Fece un cenno vago nell'aria con la mano.

Il controllore sospirò. «Senta, signora» disse, «lei adesso mi deve pagare questo biglietto.»

«Neanche per sogno!» esclamò la donnina. «Strozzino! Aguzzino! Hitler!» La sua voce si fece improvvisamente acuta; sembrava quella di un pappagallo. Bet trasalì e si sentì arrossire, come se fosse capitato a lei. Ma poi udì accanto a sé un improvviso suono gracchiante e si girò e vide che Arnold rideva. Aveva la bocca spalancata e la lingua arrotolata come quando guardava *Sesame Street*. Anche dopo che la scena si fu esaurita e la donna ebbe pagato e il controllore fu passato oltre, Arnold continuò a ridere e gorgheggiare, e Bet lanciò un'occhiata di gratitudine alla minuta signora nera che si sistemava con pedanteria la pelliccia bofonchiando tra sé.

Dalla stazione ferroviaria di Parkinsville, che sembrava in fase di demolizione o di ristrutturazione, non era chiaro quale delle due, presero un taxi per il Parkins State Hospital. «Oh sì, ci sono stato un sacco di volte» le assicurò il tassista. «Ci sono stato proprio...»

Ma lei non riuscì a trattenersi; doveva dirglielo, prima di dimenticarsene. «Senta» disse, «voglio che lei mi aspetti davanti all'ospedale. Non se ne deve andare, ha capito?»

«Va bene.»

«Può aspettarmi? Voglio che lei rimanga davanti alla porta o alle scale, proprio all'uscita, pronto a riportarmi alla stazione. Non se ne vada, mi raccomando...»

«Va bene, ho capito» confermò l'uomo.

Bet si abbandonò sul sedile. Sperava che avesse capito veramente.

Ora Arnold voleva un biscotto al burro d'arachidi. Allungava la mano e frignottava. Lei non sapeva cosa fare. Avrebbe voluto dargli qualsiasi cosa chiedesse, qualsiasi cosa, ma lui si sarebbe sporcato tutto e poi non sarebbe stato al suo meglio. Non sopportava che potessero pensare che fosse un bambino brutto o ordinario. Voleva che vedessero quanto era minuto e ordinato, che c'era qualcuno che gli voleva bene. Ma sarebbe stato tremendo se avesse avuto uno dei suoi attacchi d'ira. Spezzò un tozzo di biscotto e glielo porse. «Tieni» disse. «Non sporcarti.»

Lui si abbandonò nell'angolo e lo sgranocchiò, con la mano sulla bocca mentre masticava.

L'ospedale sembrava una grande villa con le colonne davanti e degli edifici di mattoni squadrati tutt'attorno. «Eccoci qua» annunciò il tassista.

«Grazie» disse Bet. «E adesso mi aspetti qui, per favore. Vado solo a...»

«La aspetto, la aspetto, stia tranquilla.»

Lei aprì la portiera e spinse fuori Arnold davanti a sé. Trascinando la valigia, si avviò verso la gradinata. «Vieni, Arnold» disse.

Lui esitava.

«Arnold?»

Forse lui non l'avrebbe accettato, e sarebbero tornati a casa e non ci avrebbero pensato mai più.

Ma poi finalmente si decise, salì i gradini con quei suoi passetti buffi. Aveva il viso pulito, solo qualche briciola di biscotto sulla giacca. Lei posò la valigia per pulirlo. Poi gli abbottonò la giacca e prima di aprire la porta gli sistemò il colletto della camicia su quello della giacca.

All'accettazione una donna dietro uno sportello incorniciato di legno le fece firmare delle carte. Tutt'attorno c'erano segretarie che sbatacchiavano sulle macchine per scrivere. Bet pensò che ad Arnold potesse piacere, lui invece era tutto concentrato sulle luci, lampade fredde come vaschette per i cubetti di ghiaccio, con una luce tremula. Guardava in alto, con un'aria frastornata. Poi a un certo punto arrivò un'infermiera con il petto piatto e gli sfiorò il gomito. «Vieni, Arnold. Venga, mamma. Adesso andiamo a vedere dove starà Arnold» disse.

Tornarono nell'ingresso, poi salirono un'ampia scalinata di marmo con i gradini consumati. Arnold si teneva forte al passamano. C'era un odore che Bet detestava, di disinfettante al pino, ma Arnold non parve notarlo. Non si poteva mai dire; a volte gli odori gli provocavano reazioni inconsulte.

L'infermiera aprì con la chiave una porta doppia che aveva una rete davanti ai vetri. Percorsero un corridoio, superarono diverse donne grasse e brutte che portavano abiti grigi informi e calzini. «Ah!» esclamò una delle donne grasse, e si lasciò cadere ridacchiando tra le braccia di un'amica. «Eccoci qua» annunciò l'infermiera. Entrarono in un corridoio enorme lungo il quale erano allineati diversi lettini bianchi. Non c'era nessun altro; niente faceva pensare che lì vivessero dei bambini, tranne un piccolo clown di cartone appeso a una parete spoglia. «Questo è il tuo letto, Arnold» disse l'infermiera. Bet ci appoggiò sopra la valigia. Era rifatto con tanta cura che le lenzuola sembravano dipinte. All'estremità dei piedi era ripiegata una coperta grigio acciaio. Lo guardò, ma lui stava strascicando i piedi per sentire il rumore delle sue scarpe da ginnastica nuove sul linoleum.

«In genere» spiegò l'infermiera, «preferiamo lasciar passare sei mesi prima che i pazienti nuovi ricevano visite dai familiari. Così si abituano più in fretta, capisce?» Si girò e drizzò il disegno del clown, anche se a Bet era parso perfettamente a posto. Da sopra la spalla, l'infermiera disse: «Se vuole adesso può salutarlo».

«Oh» fece Bet. «Va bene.» Mise le mani sulle spalle di Arnold. Poi gli appoggiò la guancia sui capelli caldi e mossi. «Tesoro» disse. Ma lui continuava a far cigolare le scarpe. Si drizzò e disse all'infermiera: «Ho portato la sua coperta».

«Ah, va bene» disse l'infermiera e si girò di nuovo verso di lei. «Gliela daremo.»

«Gli piace averla con sé quando dorme, fin da quando era piccolo.»

«D'accordo.»

«E non lavatela. Lui detesta che venga lavata.»

«Va bene. Adesso saluta la mamma, Arnold.»

«Tante volte vi sorprenderà, ci sono tanti aspetti, non è solo...»

«Ci prenderemo buona cura di lui, signora Blevins, non si preoccupi.»

«Va bene» disse lei. «Ciao, Arnold.»

Uscì dal reparto con l'infermiera e ripercorse il corridoio. Mentre l'infermiera le riapriva la porta con la chiave, sentì un unico grido terribile, ma l'infermiera le diede una pacchetta sulla spalla e la spinse delicatamente fuori.

Appena salita sul taxi, Bet disse: «Senta, mi resta soltanto un quarto d'ora per arrivare alla stazione, pensa di farcela?»

«Ma certo» le assicurò il tassista.

Lei si appoggiò le mani sulle ginocchia e tenne lo sguardo fisso in avanti. Gli occhi le si inondarono di lacrime.

Una volta arrivata alla stazione, corse allo sportello. «Ce la faccio a prendere il treno di mezzogiorno e un quarto?» chiese.

«Tranquilla» disse l'addetto. «Ha venti minuti di ritardo.»

«Cosa?»

«Si è fermato a Norton. Non so perché.»

«Ma non è possibile!» esclamò lei. L'uomo la guardò sorpreso. Doveva essere uno spettacolo, con gli occhi tutti gonfi e le guance bagnate. «Senta» gli disse a voce più bassa. «Ho scelto apposta questo treno. Sono venuta da Beulah in modo da poter tornare senza dover aspettare. Io non voglio dover aspettare in questa stazione!»

«Sono solo venti minuti, signora. Non è una tragedia.»

«Ma cosa farò?» gli chiese sgomenta.

Lui tornò a occuparsi delle sue carte.

Bet andò a sedersi su una panca. Sopra di lei era tutto pieno di impalcature, e nella stazione non c'era più di una decina di passeggeri. Si sentiva come se l'avessero bombardata, come un guscio vuoto. «Venti minuti!» ripeté a voce alta tra sé. «Cosa farò?»

Dalla porta in fondo alla stazione entrò una fila di uomini in abito grigio con valigette ventiquattrore. Altri li seguirono, in divisa da lavoro, con sedie pieghevoli, scatole nere simili a bauli dalla cerniera argentata, microfoni, un pulpito in legno e una gran quantità di tessuto. Sistemarono il pulpito al centro della stanza, a meno di due metri da dove era seduta Bet. Vi avvolsero intorno la stoffa, un drappeggio rosso, bianco e blu. Furono collegati dei fili, furono accesi dei riflettori. Un microfono gracchiò. Uno dei tecnici disse: «Lo provi, signor Sindaco». Porse il microfono a un uomo grasso in abito grigio, che si schiarì la gola e disse: «Signore e signori, in occasione dei lavori di ampliamento di questa bella stazione antica...»

«C'è un'eco niente male» notò il tecnico. «Vada pure avanti.»

Il sindaco si schiarì di nuovo la gola. «Se mi permettete» disse, «vorrei chiedervi circa venti minuti del vostro tempo, cari amici.»

Si raddrizzò la cravatta. Bet si soffiò il naso, poi si asciugò gli occhi e sorrise. Sembrava che fossero venuti apposta per lei. Avevano organizzato una specie di spettacolo privato per lei. D'ora in avanti tutto il mondo sarebbe stato così, come uno spettacolo: a lei sarebbe bastato assistere comodamente seduta.

IL BERNOCCOLO DELLE LINGUE

Mio marito è poliglotta. Insegna italiano (sua lingua madre) all'università, ma parla francese, spagnolo, russo e greco, e anche il suo inglese è privo di accento, salvo una lieve imprecisione nella pronuncia della *t*. Ora Mark sta cercando di imparare l'arabo, che a quanto gli hanno detto è molto difficile. Di sera si mette sul divano, sotto una luce gialla, chino sulla sua grammatica tascabile. «*Kayf halik*» dice. «Come stai? *Kayf halik? Kayf halik?*» Anche se sta parlando tra sé, in realtà guarda me, tanto che ho l'impressione che voglia davvero sapere come sto. Questo è proprio uno dei suoi lati positivi: si rivolge a tutti in modo molto personale. Il suo sguardo immobile è puntato non sui miei occhi, ma sulla mia bocca, come se si aspettasse una risposta. Mi sento timida e impacciata. Non conosco una sola parola di arabo, non saprei nemmeno dire «bene». Non ho mai avuto il bernoccolo delle lingue, io.

Al momento mi sto specializzando in geologia all'università dove Mark insegna, e l'unica

lingua straniera che abbia mai studiato è il te-
desco scientifico. Quando eravamo insieme da
qualche tempo (ci eravamo conosciuti tra gli
scaffali della biblioteca), cominciai ad assistere
al suo corso per principianti per imparare un
po' d'italiano. In realtà ero già innamorata di
lui; questo era l'unico vero motivo per cui ci an-
davo. Stavo nell'ultima fila, e tenevo addosso il
cappotto durante tutta la lezione per mettere
bene in evidenza che ero lì solo per ascoltare. A
dire il vero, molto più che ascoltare guardavo.
Notavo come diventava vivace e spigliato davanti ai suoi studenti. Sembrava molto più vecchio di me, benché avesse appena ventott'anni.
Aveva diverse ciocche grigie fra i capelli neri, le
guance scavate, e sotto ogni occhio un solco così profondo da far pensare che lui sentisse le cose più intensamente degli altri. In genere portava un abito formale di seta grigia, di foggia straniera, e una camicia con il colletto bianco ina-
midato così alto da restare nascosto sotto i riccioli che gli scendevano sulla nuca. È forse strano che metà delle ragazze del campus gli cor-
ressero dietro? Io, però, ero l'unica che lui invi-
tava a uscire. Non so perché. Insieme andavamo ad ascoltare concerti, a vedere film in bianco e nero e a teatro. E mi portava a mangiare in
un costoso ristorante italiano. Ai concerti era
molto assorto, quasi si dimenticasse di me, forse perché era italiano; al cinema e a teatro, inve-

ce, si rilassava e mi teneva la mano. «Che mani fredde, Susan!» diceva. «Mani fredde, cuore caldo, non è così che si dice?»

Proprio così, e non aveva idea di quanti uomini me l'avessero detto prima di lui. Ma alla fine erano stati loro a diventare freddi, si erano stancati all'improvviso e mi avevano lasciata senza spiegazioni. Mark questo non lo fece. Io me lo aspettavo, da un giorno all'altro, ma lui continuò a invitarmi a uscire durante tutto l'inverno, e poi anche in primavera. Allora mi portò a fare un picnic soltanto con una bottiglia di vino e un grosso pezzo di formaggio. In aula, se mi sorprendeva a guardare i cornioli in fiore dalla finestra, mi richiamava con un tono così diverso da quello che usava per insegnare, che tutti gli altri ci guardavano con tanto d'occhi. «Signorina Denneson!» diceva soltanto, a voce bassa.

Io dal canto mio non sono mai stata molto brava a esprimere i miei sentimenti. Quando uscivamo insieme, Mark cercava di tenere viva la conversazione e lasciava delle pause nella speranza che dicessi qualcosa, ma in genere restava deluso. Aveva sempre attenzioni per me a cui non ero abituata. «Come mai hai gli occhi di un azzurro così pallido? Devono essere i pensieri» diceva. «Evidentemente i tuoi pensieri sono più chiari e freschi di quelli degli altri.»

Cosa potevo rispondere? Mi limitavo a tormentarmi le mani finché lui le prendeva tra le sue per calmarle. Di notte piangevo – ogni notte, durante tutta la primavera – immaginando il momento in cui avrebbe cambiato idea e mi avrebbe lasciata. Ovviamente non gli confidai mai la mia pena. E alla fine tutte quelle lacrime si rivelarono inutili; nonostante tutto anche la mia vita prese il suo corso, simile a tante altre. Lui mi chiese di sposarlo e organizzammo il matrimonio nella cappella dell'università, con mio padre e due zie come testimoni, poi andammo ad abitare in un appartamento appena fuori dal campus.

Seguo tuttora le sue lezioni d'italiano. Sono a metà del secondo anno e passo più tempo a studiare italiano di quanto non studi tutte le materie geologiche messe insieme, ma quegli esami li passo con il massimo dei voti, mentre se dovessi sostenere una prova di italiano non otterrei molto più della sufficienza. «*Buon giorno, signora*» dice Mark quando entra in aula. «*Buon giorno*» rispondo, ma la mia *r* è liquida e americana, per niente vibrante. Da sola sono capace di pronunciare la *r* correttamente, ma questo nemmeno Mark lo sa. «*Buon giorno, signorina*» dice alla ragazza dell'altra fila. «*Buon giorno, signore*» ribatte quella. Pronunciate da lei, le parole sono ricche e corpose. Rimangono sospese nell'aria un momento, mentre le mie sono già da tempo dissolte e svanite. Lei gli sorride inclinando la testa. Lui ricambia il sorriso. Certamente si rammarica di non avere sposato una donna con il bernoccolo delle lingue.

Una volta i suoi genitori vennero a trascorrere un periodo con noi. Si fermarono per un mese e mezzo. Questo, in teoria, avrebbe dovuto aiutarmi a imparare l'italiano, invece sua madre finì per imparare l'inglese. Indicava gli oggetti pronunciando i nomi: «*U-indou. Brred. Spuun*». Dopo ogni parola rideva e si copriva la bocca con la mano. Per parlare una lingua straniera bisogna essere disposti a perdere un po' della propria dignità. Il padre di Mark, invece, rimase dignitoso sino alla fine. Conosceva una sola frase in inglese, che aveva studiato prima di venire. L'aveva imparata per me. Dio solo sa quanto tempo ci aveva impiegato. La recitò appena ci incontrammo all'aeroporto, mi afferrò entrambe le mani, respirò a fondo: «*Already*» disse, «*I love you like a daughter*». Sua moglie era raggiante e applaudì entusiasta. Allora il signor Sebastiani mi liberò le mani e si asciugò la fronte. Cosa si aspettava che dicessi? Non ero preparata a rispondere a una dichiarazione del genere. Mi ero aspettata gesti e smorfie, tutt'al più un vocabolario di fortuna: *hello*, e magari *O.K.* e *good night*. E lui invece ce l'aveva messa tutta, e con quelle sette parole aveva espresso quanto di più profondo una lingua possa dire.

«Grazie» balbettai alla fine spronata da uno sguardo di Mark. Mi chiesi cos'altro avesse in serbo il signor Sebastiani, ma come scoprii in seguito non era il caso di preoccuparsi: non imparò più nemmeno una parola d'inglese. Ci arrangiavamo a gesti e sorrisi. Ogni tanto ripeteva quella sua unica frase, e io lo ringraziavo di nuovo. Una volta la disse anche alla mia ex compagna di stanza all'università. Era venuta a prendere in prestito un libro mentre lui era in casa da solo, e dopo cinque minuti di inutili tentativi di capirsi, lui gettò la spugna e scoppiò a ridere. «*Already*» disse stringendosi nelle spalle per dimostrarle che si stava impegnando al massimo, «*I love you like a daughter*».

«Non è un tesoro?» esclamò in seguito Dodie. «È delizioso! E io sai cosa gli ho detto? '*Mr. Sebastiani, I love you too*', e poi ci siamo sorrisi ancora un po' e me ne sono andata.»

Ora i genitori di Mark sono rientrati in Italia ma abbiamo qui le sue sorelle. La maggiore, Anna, è sposata; è venuta per accompagnare Giulia, che vuole informarsi per iscriversi a un college americano. Entrambe parlano inglese. Mi fanno mille domande sulle cose pratiche: le scarpe che compero sono già confezionate o fatte su misura? Quel detersivo speciale l'ho ricevuto con la lavastoviglie? La sera mi spalmo della crema sul viso? Le nostre conversazioni sono logiche e precise, piene di termini riguardanti prezzi, modi di preparazione e ingredienti chimici. Di sera, quando Mark è in casa, tutto cambia: passano all'italiano. Le loro voci diventano appassionate. Mark diventa « Marco », un nome grande e sonoro, troppo ingombrante per il nostro piccolo salotto-tinello. A uno che ascoltasse le parole senza capire (come faccio io di solito) potrebbe sembrare che stiano litigando. Invece parlano solo di come va a scuola il figlio di Anna, o dell'inquinamento sulle spiagge italiane, o del matrimonio di una qualche zia paterna ormai morta da vent'anni. Giulia commenta un giro per i negozi: i vestiti negli Stati Uniti sono carissimi. La sorella annuisce e chiude gli occhi, si abbandona contro lo schienale del divano e si preme il setto nasale con due dita. Marco va avanti e indietro come un leone in gabbia. Io m'insinuo tra di loro versando caffè. Quanto ne bevono! Nero e amaro. « Questa Susan è troppo magra! » esclama Anna riaprendo gli occhi e tornando a parlare in inglese. Mi stringe il polso con una mano calda e grassoccia. « È come uno stecco! Un po' di grasso agli uomini piace. » Io sorrido e non dico niente. Sono simpatiche tutte e due, ma quando mi parlano in tono così melodrammatico non riesco proprio a trovare niente da dire.

*

Per Natale le sorelle hanno preso un Greyhound per la costa occidentale, mentre Mark e io siamo andati in Virginia in automobile a trovare mio padre. Era la prima volta che Mark veniva a casa mia. Siamo partiti la mattina del ventiquattro e siamo arrivati a metà pomeriggio. Abbiamo percorso la lunga strada sterrata tra i campi di stoppie gelate superando le capre che si stringevano infreddolite attorno al fienile, i mucchi di pannocchie gialle e il furgone di mio padre parcheggiato tra i rovi. La casa aveva il colore di un foglio di carta cancellato con una gomma sporca: muri grigi e perlacei. Nel cortile non c'era un albero né una siepe, nemmeno un cespuglio spelacchiato, solo piante secche e un intrico di erbacce dove un tempo erano state le aiuole fiorite di mia madre. Sulla veranda si vedevano una vecchia centrifuga, una vasca di zinco piena di pezzi di macchine, un radiatore e un sacco da venticinque chili di mangime per capre. Neppure l'ombra di mio padre. Doveva avere visto l'auto, ovviamente, ma lui è un uomo schivo, non certo di quelli che escono di casa di corsa per andare incontro a qualcuno. Mia madre l'avrebbe fatto. Se fosse stata ancora viva ci avrebbe sommersi come un fiume, precipitandosi fuori appena fossimo arrivati.

Mark ha scaricato la valigia dal portabagagli e abbiamo salito la scala di legno evitando il gradino rotto. Quando ho bussato alla porta mi ha detto: «Ma come, bussi alla porta di casa tua?»

«Solo per non spaventarlo» ho risposto.

Mio padre è venuto ad aprire ed è rimasto a guardarci in silenzio con un sorrisetto sulle labbra. Ogni volta che lo vedo mi sembra molto invecchiato. Negli anni trascorsi dalla morte di mia madre si è raggrinzito e incurvato come un libro che si accartoccia se lo metti a seccare dopo averlo lasciato fuori in una notte di pioggia. Sulle guance gli spuntavano qua e là ispidi peli bianchi. Aveva la camicia abbottonata con le spille di sicurezza, i pantaloni da lavoro sformati sulle ginocchia, e le bretelle penzoloni. Vedendo la sua pelle rosea e pulita sotto i capelli bianchi mi è venuto da piangere. Però ho detto soltanto: «Ciao, papà» e gli ho sfiorato la guancia con la mia. «Ti trovo bene» ho aggiunto. Mark gli ha stretto la mano.

Mio padre continuava ad annuire, sorridendo con lo sguardo basso. «Non sapevo proprio cosa prepararvi da mangiare» ha confessato.

«Non preoccuparti, papà. Sono io la cuoca.»

«Ho preso un tacchino per domani, questo sì, ma per cena non so cosa darvi.»

«Non importa, non importa» ho detto. «Vogliamo entrare?»

Dentro, nel vaso sulla mensola del camino, c'erano gli stessi fiori secchi, solo un poco più polverosi, e anche i soprammobili sullo scaffaletto nella sala da pranzo parevano congelati nelle posizioni di sempre. Il pavimento di legno scricchiolava e gemeva, le pareti ruvide e i soffitti bassi anneriti dal fumo sembrava dovessero crollare solo a sfiorarli. A ogni finestra c'erano tende di garza con pizzi rigidi e grigi per la polvere. L'odore pungente del cherosene mi ha irritato il naso. Quando sono entrata in cucina sono scivolata quasi sul linoleum, tanto era unto. Sul tavolo smaltato c'erano i resti della colazione di mio padre: cornflakes Kellogg's e un torso di mela. Sul muro, sopra il vecchio fornello elettrico con le gambe lunghe e strette, c'era un calendario fermo sul mese di agosto, che mostrava una vecchia foto di una ragazza con la boccuccia da Cupido su un'altalena adorna di fiori di malva.

Mia madre era morta nella stanza a nordest, al primo piano sopra il salotto. Aveva preso del veleno; nessuno mi ha mai detto quale (se avessi saputo che esisteva un veleno indolore e di effetto immediato, magari avrei chiesto se fosse quello, ma non mi risultava). Né ho mai saputo come lui la trovò, in che stato, che cosa fece allora o come sistemò la stanza in seguito, i suoi oggetti, i ricordi che aveva di lei. Tutto quello che so, è che mi scrisse un biglietto: «Solo per dirti che tua madre non è più con noi. Si è tolta la vita ieri (12 gennaio) nella stanza a nordest, ha preso del veleno».

All'epoca frequentavo il primo anno di università. Dividevo la stanza con due ragazze che mi erano entrambe molto simpatiche, ma con le quali non parlai mai della morte di mia madre. Non mi venne spontaneo dirlo. Anche anni dopo, quando con Mark ci scambiammo per la prima volta racconti del passato, sorvolai su quella morte come se fosse una statistica in un manuale, e mi scrollai di dosso tutta la sua compassione. «Be'» dissi, «tanto non andavamo d'accordo.» Questo era vero. L'avevo temuta. Sin dall'infanzia avevo capito di non poter contare su di lei, perché spesso diventava di umore violento, e allora era come se si coprisse la faccia con maschere enormi e grottesche: collera, felicità, disperazione, ilarità, i suoi stati d'animo non erano mai moderati.

Dopo la sua morte scrissi a mio padre una lettera di condoglianze soppesando con cura le parole, come lui e io siamo soliti fare tra di noi. Non tornai a casa per il funerale, ma in seguito cercai di andarlo a trovare spesso, in modo che non si sentisse troppo solo. Riempivo il freezer di piatti pronti per i mesi a venire, gli rammendavo i vestiti e pulivo la casa, tutta tranne la stanza a nordest. In quella stanza non entravo mai.

Ma la stanza a nordest era la camera degli

ospiti, l'unica con un letto matrimoniale. Quando mi è venuto in mente mi sono afflosciata su una sedia in cucina. Mio padre è arrivato e si è fermato sulla soglia a lisciarsi il mento. «Dove pensavi di farci dormire?» gli ho chiesto.

Lui ha alzato lo sguardo. Perfino i suoi occhi erano invecchiati, l'azzurro era diventato latti-ginoso. «Oh, be'...» ha balbettato.

Mi sentivo ferita. Magari aveva perfino dimenticato che venivo? «Se mi dai le lenzuola preparo il letto nella mia vecchia stanza» ho detto. Lì il letto è singolo, ma mio padre non ha avuto nulla da ridire.

Per tutto il pomeriggio Mark lo ha aiutato nei lavori. Era la prima volta che vedeva una fattoria americana. Io sono rimasta in casa, a pulire la cucina e a preparare la cena. Di quando in quando sbirciavo da una delle strette finestre e vedevo Mark e mio padre, magri come stecchi, in mezzo ai campi di stoppie. Erano rigidi per il freddo. Mark indossava vestiti acquistati apposta per l'occasione: jeans ancora inamidati, un giaccone da boscaiolo e un paio di anfibi; stonavano talmente con il suo modo di essere da sembrare lì per conto proprio, come se la sua presenza al loro interno fosse del tutto casuale. Certamente stava facendo domande su tutto, vedevo gli sbuffi di vapore che gli uscivano dalla bocca. Le risposte di mio padre, invece, non muovevano quasi l'aria. All'ora di cena sono arrivati in cortile con catini fumanti pieni di latte di capra, e Mark è entrato di corsa con il naso rosso, lo sguardo raggiante, felice come un bambino. « Susan! Non puoi neanche immaginare quante cose ho imparato! »

Mio padre ha filtrato il latte con la carta assorbente e lo ha versato nella grande scrematrice di alluminio che era pronta sulla credenza. « Natalie è un po' giù di corda » ha detto. « Solo un litro di latte, stamattina ancora meno. Mi sembra spaventata. » Ha fatto girare la scrematrice con piglio sicuro, guardando il muro spoglio davanti a sé con le sopracciglia leggermente inarcate, come se avesse in testa molti pensieri tristi.

Abbiamo cenato in cucina, e poi, mentre lavavo i piatti, mio padre è rimasto seduto a tavola a tenermi compagnia. Mark, intanto, si è immerso nella lettura di un vecchio almanacco dell'agricoltore che aveva trovato sulla veranda dietro casa. Ero contenta di avere mio padre tutto per me, anche se in verità non avevamo molto da dirci. Abbiamo parlato di oggetti. Macchine, soprattutto. Come sempre. Il trattore funzionava ancora bene? Lo scaldabagno avrebbe resistito per un altro anno? E poi, lui a me: la mia macchina per scrivere era a posto o s'inceppava? La Toyota di Mark faceva abbastanza chilometri con un serbatoio di carburante?

«Oh, papà, credo che non sappia nemmeno lui quanti ne fa» ho risposto. «Quando è vuota ci mette la benzina, tutto qua.»

Mio padre ha annuito. Niente lo sorprendeva; sapeva che il resto del mondo faceva le cose in modo diverso da lui. Gliel'aveva fatto notare mia madre; spesso, mentre prendevano il caffè, gli rimproverava: «Alcuni, mio caro, si tuffano allegramente nelle cose, altri immergono prima l'alluce per controllare la temperatura; tu sei uno di questi». Usava sempre un linguaggio figurato, anche durante le sue sfuriate più tremende; aveva studiato al college, lei. «Tu misuri tutto col bilancino. Soppesi i sorrisi. Conti le parole. Sei un uomo freddo, molto freddo.»

Lei invece si tuffava a capofitto, per tutta la vita non si limitò mai a immergere l'alluce. Si tuffava perfino nei nostri pensieri, e li sconquassava e li devastava. Se avesse potuto infiltrarsi direttamente nel nostro cervello l'avrebbe fatto, portandosi dietro grosse valigie straripanti, e sacche colme di invidie, sospetti, rancori, estasi, passioni e paure. A volte mi stringeva e mi copriva di baci schiacciandomi contro di sé; quando poi riuscivo a divincolarmi diceva: «Perché mi respingi? Dove vuoi andare? Non mi vuoi bene neppure un po'?» Indietreggiava di un passo prendendomi il viso tra le ma-

ni e mi guardava dritto negli occhi. I suoi brilla-
vano. I capelli rossi e ispidi le si gonfiavano sulle tempie come un secondo paio d'orecchie. Il
suo respiro era talmente corto che avevo l'impressione di rimanere anch'io senza fiato.
«Dai, Lillian» non si stancava di ripetere mio
padre, «io se fossi in te non mi agiterei tanto.»

«Io! Agitarmi?»

La calma serafica di mio padre la faceva andare su tutte le furie. Anche la mia. «Parla, su!
Muoviti!» mi diceva. «Cosa sei, una pappa-
molla?» E continuava a girarci intorno mentre
lavoravamo in cucina, mio padre lavava la scrematrice pezzo per pezzo con grande pazienza,
io invece preparavo la cena a cui lei non si era
degnata di pensare. «Ma di cosa siete fatti, di
plastilina? Avrei potuto comperarvi tutti e due
belli e pronti al supermercato, padre e figlia, e
piazzarvi qui in cucina in una bella posa edifi-
cante; sareste rimasti così, immobili, non avrebbe fatto nessuna differenza.»

Però quando partii per il college pianse.
Venne da me mentre mangiavo un budino, mi
premette la testa sul petto come se lei fosse la figlia e io la madre. «Che effetto farà, essere soli
come i morti?» chiese. Aspettava una risposta,
non era una domanda retorica, ma lì per lì non
mi venne in mente nulla da dire. In stazione, sa-
lutandomi, mi raccomandò: «Susan, tesoro!
Dimentica i brutti momenti. Siamo state anche

bene insieme, no? Lo sai quanto ti voglio bene!»

Mentre ero via non mi scrisse mai (non era il tipo di persona in grado di mettere sulla carta i suoi pensieri), invece scriveva mio padre, mi teneva aggiornata sulle capre e tutto il resto. «Tua madre sta bene» aggiungeva sempre. «Ti manda tanti saluti.» Vista così, poteva apparire una mamma come tante altre. Ma quando tornai a casa quel Natale, mi corse incontro piangendo, questa volta di gioia. «Voglio solo guardarti» disse. «Ti voglio bere come un bicchier d'acqua.» Strinse la mia mano nella sua e sorrise beata. Io avevo sempre paura del contatto fisico con lei. Avvertivo i suoi sbalzi di umore perfino nella sua pelle calda e asciutta. Eppure il suo sorriso mi spezzò il cuore. Volevo illudermi che fosse cambiata. Che fosse diventata più stabile e solida, con i piedi per terra come gli altri comuni mortali. «Vedrai, tesoro. Sarà un Natale meraviglioso!» promise. «Sarà tutto magnifico!» Ma dalla sua voce capii che era di nuovo sull'orlo delle lacrime, e le tremavano gli angoli delle labbra. «Ma certo, mamma» risposi carezzandole la mano e mi liberai dalla stretta.

Mio padre ha detto che se Mark e io volevamo andare a trovare qualcuno o avevamo qualcosa da fare, dovevamo sentirci liberi e non pensare di dover stare per forza con lui tutto il tempo. Lo ha detto tenendosi dritto sulla sedia, quasi temesse di ricevere una brutta notizia.

« Ma no » ho risposto, « tanto non ho più amici qui. »

Lui è rimasto in quella posizione rigida. Un giorno, ho pensato, mio padre morirà e la prima cosa che mi passerà per la testa sarà: « Eppure non gli ho mai detto… non gli ho mai fatto sapere che… » ma lì per lì non mi è venuto in mente nulla. Il silenzio si prolungava, e sentivamo distintamente ogni volta che Mark, in salotto, voltava una pagina dell'almanacco. Ho cominciato a temere che mi sarei lasciata sfuggire qualcosa di tremendo, una paura che mi viene spesso quando mi sento circondata dal silenzio. Allora mi sono messa a impilare i piatti facendo un gran baccano. Quando scrivo a mio padre, ogni volta mi tocca scollare le buste perché temo di avere commesso qualche errore imperdonabile, o addirittura di avere inserito la lettera sbagliata. Ma di quale errore ho paura? Di quale lettera? Quando gli spedisco i vecchi manuali che mi chiede, devo riaprire il pacco almeno una volta per accertarmi di non avere dimenticato appunti sospetti tra le pagine. Ma che genere di appunti?

A letto, quella sera, Mark ha detto: « Mi piace questa casa ». Poi si è stretto con il suo corpo caldo al mio. «E mi piaci tu» ha aggiunto. Ma da sotto sentivo ancora i rumori sommessi di mio padre che chiudeva la casa per la notte. Mi sono staccata, allontanandomi quanto mi consentiva il letto a una piazza. «Be', buona notte» ho detto. Mark ha sospirato con rassegnazione, poi ha detto anche lui buona notte e si è girato verso il muro.

La mattina di Natale Mark mi ha dato un accappatoio che veniva da Roma, e io gli ho regalato una pipa di schiuma. Mio padre mi ha porto una scatoletta di velluto blu che conteneva un ciondolo un tempo appartenuto a mia madre. È un medaglione ovale, con un motivo a treccia intorno al bordo. All'interno ci sono le foto dei miei genitori, entrambi molto giovani; sorridevano in quel modo triste e condiscendente che spesso si vede nelle vecchie fotografie. Mi sono ricordata che avevo avuto il permesso di vederle quando ero malata di varicella. Mia madre si chinava sul mio letto e lasciava penzolare il medaglione dalla sua catena d'oro intrecciata, in modo che potessi aprirlo e guardarci dentro. Sul retro erano incise le loro iniziali. Di questo me n'ero dimenticata, o forse non l'avevo mai notato prima, o magari allora ero troppo piccola per leggere:

L.M.D.
ti amerò sempre
R.D.

Ho passato il dito sulle lettere. Ho aperto di nuovo il medaglione e ho guardato la foto di mia madre. I suoi riccioli sembravano pile di monete ammucchiate sopra la testa. Poi mio padre ha teso la mano per vedere anche lui. «Mi mancherà finché vivo» ha detto all'improvviso con un filo di voce. «Niente potrà mai riempire il vuoto che ha lasciato.»

L'ho guardato. Deglutiva meccanicamente muovendo la bocca. Alla fine mi ha ridato il medaglione, è andato a sedersi sul suo dondolo di vimini e ha cominciato a oscillare regolarmente, le mani sulle ginocchia.

«Questo è per te» ho detto dopo un minuto dandogli il mio regalo, un temperino svizzero con sette lame con cui si può tagliare di tutto. Gli regalo sempre cose simili per Natale. La passione per questi oggetti utili ci accomuna da sempre, a quanto ricordo.

Più tardi ho servito il tacchino che mio padre aveva comperato nella fattoria della vecchia signora Benson, con contorno di mirtilli rossi, ripieno di sedano e patate dolci, un vero pranzo di Natale. Avevo impiegato tutta la mattina per prepararlo. Avevo apparecchiato con la tovaglia di pizzo pesante e il servizio della domeni-

113

ca, e tirato le tende in tinello per chiudere fuori il pomeriggio grigio. «Brava, Susan, hai davvero preparato un bel pranzetto» ha notato mio padre. E Mark ha brindato con il bicchiere dell'acqua come se fosse un calice da vino. Ma a dire il vero non mi sentivo soddisfatta. Il tavolo era troppo grande per noi tre, vuoto nonostante tutto quello che ci avevo messo sopra, e l'enorme tacchino, di cui avremmo assaggiato solo qualche fetta del petto, aveva qualcosa di minaccioso.

Mio padre era molto silenzioso e masticava lentamente, Mark, invece, faceva del suo meglio per tenere viva la conversazione. Parlava del Natale in Italia, raccontava aneddoti in cui comparivano allegre schiere di grasse zie e zii e cugini raccolti intorno all'albero. Noi non avevamo niente da raccontare che potesse essere all'altezza, e mi limitavo a sorridere e a fare qualche domanda che suonava sforzata: «Era tuo zio da parte di madre? Avevate un Babbo Natale?» Poi anche Mark è stato zitto. L'ho sentito ritirarsi a poco a poco, far tintinnare i cubetti di ghiaccio mentre appoggiava il bicchiere per prendere un gambo di sedano dal piatto bordato d'oro che mio padre gli porgeva.

Il giorno dopo ci siamo salutati sulla veranda, con i baveri rialzati e i denti stretti per il freddo.

«Be'» ha detto mio padre, «immagino che prima o poi ci rivedremo.» Si è chinato ad appoggiare la sua guancia ruvida sulla mia. Ha stretto la mano a Mark.

«Arrivederci» ha detto Mark. «Sono contento che ci sia stata quest'occasione per conoscerci meglio.» Poi ha preso la valigia.

«Abbi cura di te» ho raccomandato a mio padre.

«Sì, stai tranquilla.»

«E mangia come si deve, mi raccomando.»

«Va bene.»

Ci ha accompagnato nel cortile calpestando aghi di ghiaccio. Mentre mi apriva la portiera dell'automobile ho detto: «Il tacchino è nel freezer, diviso in tanti sacchetti da una porzione».

«Ah, grazie.»

«Se ne tiri fuori uno all'ora di colazione, a pranzo è scongelato.»

«Molto bene, farò così, Susan.»

Mi sono infilata sul freddo sedile di finta pelle. Mark aveva già avviato il motore, ma mio padre continuava a tenere aperta la portiera. «Susan?» ha detto.

«Sì?»

«Se fossi in te riporterei la tua macchina per scrivere alla Smith-Corona, lo sai che non va bene se si inceppa così.»

«Sì, hai ragione, lo farò.»

«Se loro non vogliono aggiustartela, tu scrivi al presidente dell'azienda. Scrivi direttamente al presidente. Io farei così.»

«Me lo ricorderò.»

«Ciao allora» ha detto.

Poi ho richiuso la portiera e siamo partiti. Credo che Mark abbia gridato ancora un saluto, ma io sapevo che tanto non avrebbe sentito e mi sono limitata a salutare con la mano.

Adesso Mark è sul divano e studia l'arabo, con la testa appoggiata al davanzale carico di libri in italiano, in inglese medievale e in slavo antico. «*Kaatrik*» dice. «Arrivederci. *Kaatrik*.» Aggrotta le sopracciglia perché ha individuato un lieve errore di intonazione. «*Kaatrik*» ripete ancora e questa volta è soddisfatto, anche se a me non sembra di notare alcuna differenza. Ha accanto le sue sorelle che chiacchierano e ridono, ma lui continua a mormorare tra sé indisturbato. È troppo concentrato a imparare una nuova lingua. Alla luce gialla della lampada sembra dorato, come racchiuso in una bolla di fortuna; io lo guardo e gli sorrido, ma la bolla resta chiusa e sembra portarlo lontano. E vola via, sempre più lontano, mi lascia indietro, e non riesco a farmi venire in mente niente da dire che possa farlo tornare.

CHI TIENE IN PIEDI LA BARACCA

Racconta che quando aveva dieci anni, un giorno, fu invitato ad andare al cinema e si vestì tutto elegante con l'abito nuovo blu, la cravatta e la camicia a righe. Però non sapeva fare il nodo alla cravatta; suo padre era morto l'anno prima, e nessun altro in quella casa di donne (madre, zia e due sorelle) poteva aiutarlo. Provarono ad annodarla e snodarla per gran parte della domenica pomeriggio, sino a quando fu tutta molle e stropicciata. Alla fine sua zia se la mise in borsa, prese l'autobus e andò in centro. Davanti alla vetrina di Patterson Brothers Menswear annodò la cravatta in modo che somigliasse a quelle dei manichini. Poi riprese l'autobus, tornò a casa e gliela puntò sulla camicia con due spilli. Durante tutto il film, lui tenne la testa inclinata e le mani pronte a proteggere la lunga, maldestra cravatta dalla gente che gli passava davanti per raggiungere il proprio posto.

Ci sono molte domande che mi vengono in mente a questo proposito: non sarebbe potuto andare da un vicino? Non aveva un amico? E poi, perché mettersi la cravatta per andare al cinema? A *dieci* anni!

Avrebbe almeno potuto usare una spilla di sicurezza.

Ma non voglio farla troppo lunga. Siamo sposati da due anni e ormai l'ho capito: non ama parlare di sé. In realtà mi sorprende che mi abbia raccontato quell'aneddoto. Anzi, mi sorprende perfino che se lo ricordi.

Ha quarant'anni, quindici più di me. È preside di una scuola superiore. Un uomo alto, pallido, dall'aria stanca, che sta perdendo i capelli. Veste sempre in modo formale, anche nelle occasioni che non lo richiedono – una partita di rugby tra amici, un picnic –, ma di solito ha sempre almeno un particolare fuori posto. Una macchia sul risvolto della giacca, i pantaloni sciupati, una bruciatura di sigaretta sulla camicia. Le sue giacche pendono sempre sul davanti e le punte del colletto delle camicie gli si arricciano tutte.

Ovviamente, ormai, sa farsi il nodo alla cravatta, ma ci sono altre cose che non ha mai imparato. Per esempio non sa aggiustare un rubinetto che perde. E non sa cambiare le controfinestre né montare le catene da neve. È perché ha perso il padre quando era così giovane? Io, che sono cresciuta nella convinzione che di queste cose si occupino gli uomini, mi sento vittima di un imbroglio. Così le faccio controvoglia, o chiamo qualcuno. Gli dico che non so cosa farebbe, se non ci fossi io a tenere in piedi la baracca. Lui si risente ogni volta, e se ne va con le mani affondate nelle tasche e le maniche della giacca tirate su fino al gomito. Allora mi dispiace; non è certo mia intenzione ferirlo.

Un giorno i freni della mia automobile si misero a stridere e dovetti portarla alla stazione di servizio Exxon. Era lo scorso aprile, una bella mattina fresca di aprile, ma ero troppo agitata per apprezzarla. Non sopporto di avere l'automobile in panne. Al minimo guasto mi dispero; mi vedo subito ferma al bordo della strada con il cofano aperto, a sventolare un fazzoletto bianco, e nessuno che si ferma tranne due detenuti in fuga. Quella volta stavo andando a lavorare, e quando frenai a un semaforo sentii un fischio lungo e penetrante. Allora girai e andai dritta alla Exxon, dove mi conoscono. Il meccanico di turno era Victor, un uomo rosso di capelli con una carota tatuata sull'avambraccio. «Oh, Victor, ascolti» dissi, e cominciai ad andare avanti e indietro con la macchina davanti a lui, fermandomi ogni pochi passi. I freni stridevano, anche se forse non proprio forte come prima. Spensi il motore e scesi dall'auto. «Cosa pensa che possa essere?» chiesi.

Lui si tirava il naso. Aspettai. Mio marito l'avrebbe incalzato, gli avrebbe fornito troppe informazioni esigendo una risposta immediata, ma io lo conoscevo e gli lasciai tempo. Finalmente chiese: «Ha cominciato a farlo adesso?»

«Cinque minuti fa» risposi.

«La usa talmente poco, che probabilmente non è niente.»

«Sì, ma se una volta devo frenare e non si ferma? Quando i freni non sono in ordine mi preoccupo, Victor.»

«Ma no, stia tranquilla. Si accomodi dentro, che do un'occhiata.»

Entrai nel gabbiotto con le due sedie in finta pelle e il tavolino pieno di copie della rivista «Popular Mechanics». Sulle mensole erano allineati in bell'ordine barattoli d'olio e bottiglie di detersivo per tergicristalli. Il ragazzo alto e biondo di nome Joel stava sfogliando un catalogo di ricambi d'auto. «'Giorno, signora» disse. Lui con me è più gentile di Victor, credo di piacergli. Una volta mi ha chiesto dove compero i miei vestiti perché voleva dirlo a sua moglie. «Qualche problema con l'auto?»

«Victor sta dando un'occhiata ai freni» risposi. «Ogni volta che rallento stridono.»

«Non si preoccupi. I freni stridono spesso» disse.

«Davvero?»

«Certo. Io non ci farei caso.»

«Oh, Joel, spero proprio che abbia ragione!»

Poi mi abbandonai su una delle sedie e mi aggiustai la gonna sulle ginocchia. Mi sentivo già meglio. Joel era in piedi, illuminato dal sole, con pigre particelle di polvere sospese tutt'attorno alla testa; la sedia era calda e liscia, e c'era un piacevole odore di cuoio. Quando Victor venne a chiamarmi (in effetti non era niente), ero davvero dispiaciuta di andarmene. Fosse stato per me, sarei rimasta lì tutta la mattina.

La Plymouth di mio marito ha il parafango sinistro ammaccato, un fanale posteriore rotto e una specie di piccolo sole di incrinature sul finestrino posteriore destro. Sembra che abbia deciso di consumarla fino in fondo, spremerla come un limone per poi abbandonarla; la tratta come se fosse una creatura da sottomettere. Come i suoi abiti frusti e le sue scarpe con i tacchi consumati solo da un lato. Qual è il suo problema? Io ho una Ford, perché sono convinta che sia più facile trovare i pezzi di ricambio. Ha cinque anni, ma sembra nuova di zecca. Anche il motore è come nuovo; l'anno scorso l'ho fatto pulire con il vapore. Alcuni non sanno neppure che si può fare.

Quando non piove per un po', invece, sui parafanghi dell'auto di mio marito si possono leggere i nomi di decine di studenti della scuola. Per non parlare delle parolacce, delle faccine sorridenti e dei cuori. Dentro ci sono vecchi raccoglitori e riviste sparpagliati sui sedili, e pacchetti di sigarette appallottolati per terra. La leva del cambio automatico fa un rumore allarmante quando la sposta in posizione di guida, e il motore, una volta spento, ha un lungo ritorno di fiamma. E poi ha la cinghia allentata, ogni volta che prende una curva stretta si sente un rumore simile a un gemito di cucciolo. Io insisto che dovrebbe farla aggiustare. «Non puoi trascurare queste cose» gli dico. «Una macchina vale solo il tempo che le dedichi.»

A volte mi sento ridicola. Mi sembra di diventare come mio padre, un uomo pedante e metodico che non mi ha permesso di prendere la patente prima che imparassi a cambiare una ruota. Comunque so di avere ragione. «E se una volta ci lascia a piedi?» gli chiedo. «E se mentre stiamo facendo un lungo viaggio si ferma in mezzo a un'autostrada a otto corsie?»

«Ma è un'ottima macchina» dice mio marito.

Però si offende, lo vedo. Sprofonda nel sedile e guida con un polso solo appoggiato sul volante. La sua guida è sempre da brivido: partenze improvvise, curve secche, fermate brusche. Ai semafori si rifiuta di mettere in folle. Io sostengo che dovrebbe farlo, ma secondo lui è inutile. « Che senso ha comperare un'auto col cambio automatico se poi devi lo stesso cambiare di continuo? » obietta.

« È per risparmiare la frizione, ovviamente. »

Lui mugugna qualcosa e riparte con un cigolio. Mi riprometto di non dire più nulla, ma non riesco a evitare una critica silenziosa: quando ci avviciniamo a una curva a cento all'ora, appoggio una mano sul cruscotto per tenermi.

In giugno venne a trovarmi l'amica con cui dividevo la stanza al college e andammo a pranzo fuori. Noi due sole, mio marito non la sopporta. Dice che è troppo sicura di sé, chiassosa e arrogante, ma secondo me è soltanto geloso. Gli uomini immaginano che le donne siano molto più amiche tra loro di quanto non siano in realtà. Andai a prenderla da sua cognata e la portai da Nardulli, un ristorantino italiano in cui non vado quasi mai. Bee era splendida. Indossava un paio di pantaloni bianchi attillati, una maglia ampia e diversi giri di corallo. Durante il pranzo avevamo molte cose da dirci: il lavoro, i mariti, i vecchi amici, ma quando ci portarono il caffè avevamo più o meno esaurito gli argomenti. Ci avviammo quasi in silenzio, un silenzio piacevole. Bee canticchiava *Star Dust* e teneva il braccio penzoloni fuori del finestrino. Percorsi

St. Johns Street alla velocità giusta per imbroccare l'onda verde.

Poi, sulla Delmore, prima di svoltare a sinistra, mi si spense il motore. Senza motivo. «Ma che diavolo?...» sbottai. Misi in folle e riaccesi. Proseguimmo senza intoppi fino allo stop in Furgan Street, e lì si spense di nuovo. Poi continuò a spegnersi ogni volta che rallentavo. Sul cruscotto si accendevano allarmanti luci rosse e verdi, dietro suonavano i clacson. Il piede che avevo sull'acceleratore si mise a tremare. «Oddio, dev'esserci qualcosa che non va» dissi a Bee.

«Magari sei senza benzina» suggerì.

«Benzina? Come vuoi che sia la benzina, se si riaccende ogni volta. È assurdo!»

Bee mi lanciò un'occhiata ma non disse niente. Ero troppo agitata per scusarmi. «Senti, devo proprio andare alla Exxon» conclusi.

«C'è un benzinaio Texaco un po' più avanti.»

«Ma alla Exxon conoscono la mia auto, e poi mancano solo due isolati.»

Il motore si spense di nuovo. «Grazie al cielo non siamo in autostrada» dissi asciugandomi la fronte con la manica. Avvertii lo sguardo di Bee.

Quando mi fermai alla Exxon il motore ebbe un ultimo sussulto, come un assetato che arriva a un'oasi nel deserto. Balzai fuori lasciando la portiera spalancata. Entrai di corsa nel garage dove trovai Joel che sotto una Volkswagen sollevata guardava in su e fischiettava con i pollici nei passanti della cintura. «Joel?» dissi. «La mia auto ha un problema tremendo.»

Smise di fischiare. «Oh, buon giorno signora.»

«Non può darle un'occhiata?»

Mi seguì fuori, al sole. Stavo già meglio, lui era così pacato e tranquillo. Mentre gli elencavo i sintomi, aprì piano il cofano e si mise a toccare qua e là riprendendo a fischiettare la stessa melodia. «Provi ad accenderla» disse. Io mi sedetti al volante, avviai il motore e lo spensi a un suo segnale. Poi scesi e tornai a guardare sotto il cofano. Osservai le sue lunghe dita ossute, lo sporco rappreso tra le pieghe ne metteva in evidenza ogni particolare. Spostò un cavetto nero.

«È la pompa della benzina?» chiesi. Avevo avuto una terribile esperienza con la pompa della benzina (sto imparando i nomi dei pezzi delle auto nel modo più brutale, come i soldati imparano la geografia).

Ma Joel disse: «Così su due piedi non capisco. Devo portarla dentro solo un attimo».

Lo riferii a Bee. Lei scese e andammo ad aspettare nel gabbiotto. D'estate l'odore di cuoio era più forte che mai. Mi abbandonai su una delle sedie, chiusi gli occhi e rovesciai la testa indietro. «Scusami» dissi a Bee. «È che quando ho la macchina in panne mi viene un nervoso...»

«Lo sai cosa farei io?» suggerì Bee. «Un corso per meccanici.»

Sgranai gli occhi incredula.

«Sì» insisté, «è quello che ho fatto io quando il prato di casa ha cominciato a farmi impazzire. Sono andata al college a studiare architettura di giardini. E mi svegliavo alle sei ogni mattina per seguire il corso in tv. Ho comperato una macchina per spargere la calce sul...»

«Sì» replicai, «ma con tutto quello che ho da fare...»

«Devi essere coraggiosa! I ruoli non esistono più. Devi fare quello che ti va.»

Ci pensai un minuto.

«Bee» chiesi infine, «dimmi la verità. L'hai fatto perché ti andava o perché sapevi che se no nessun altro l'avrebbe fatto?»

«Hmm?» ribatté, ma intanto aveva preso in mano una rivista e si era messa a sfogliarla distrattamente. Era chiaro che non riteneva importante la domanda.

Dopo qualche tempo entrò Joel pulendosi le mani su uno straccio. «È il filtro» disse. «Bisogna cambiarlo.»

«È grave?»

«No, se vuole è pronta per le cinque.»

«Posso chiamare mia cognata che ci venga a prendere» propose Bee.

«Ma l'auto» insistei. «Voglio dire, dopo sarà a posto? Non si fermerà più?»

«Certo» rispose Joel.

Scrisse il mio nome su un modulo: signora Simmons, grandi lettere esperte in stampatello. Sulla seconda riga si fermò. «Indirizzo? Telefono?»

«Nelson Road quattro quattro quattro quattro. Otto quattro quattro, due due quattro quattro.»

«Il quattro dev'essere il suo numero fortunato» commentò.

«Veramente è il nove.»

Alzò lo sguardo e scoppiò a ridere.

«Be', me l'ha chiesto lei» dissi. Poi risi anch'io ignorando lo sguardo assente di Bee. Mi sentivo giovane e sventata, piacevolmente sventata. Era splendido sapere che alle cinque tutto sarebbe stato in ordine.

La cognata di Bee venne a prenderci con la sua enorme Cadillac viola e mi accompagnò a casa. Prima di scendere mi scusai ancora con Bee. «Ma figurati» disse lei, «può capitare. Ti serve un passaggio per dopo, per tornare dal meccanico?»

«No, grazie, sono sicura che nel frattempo tornerà Alfred» risposi.

«Be', se non dovesse tornare...»

«Ti do un colpo di telefono» promisi.

Ma avevo ragione. Mio marito arrivò in tempo per accompagnarmi, giusto giusto però: era appena entrato che già bisognava uscire. Sembrava sorpreso, scoordinato. Guidava ancora peggio del solito. «Cos'hai detto che è successo? La settimana scorsa la tua automobile mi sembrava in ordine» disse. Svoltò a destra salendo sul marciapiede. A un semaforo passò con il giallo già quasi rosso. Alla Exxon rallentò guardando cupamente attraverso il parabrezza. «Aspetta finché mi sarò accertata che sia pronta» dissi. (Queste cose bisogna dirgliele.) Balzai giù ed entrai nel garage dove trovai Joel che faceva girare una ruota. Quando mi vide, sorrise. «Tutto a posto» annunciò. «Contenta?»

«Certo» risposi. Poi mi girai e feci un cenno a mio marito indicandogli che poteva andare. Lui mi salutò con la mano. Aveva la manica della giacca che sembrava un cartoccio stropicciato. Non so perché, ma vedere la sua piccola auto polverosa che si allontanava nel traffico mi rattristò.

Avevo conosciuto mio marito mentre facevo un tirocinio come insegnante nella sua scuola. In realtà avevo scoperto che insegnare non mi piaceva affatto (ora lavoro in una biblioteca), ma mi sembrava giusto continuare fino all'abilitazione. Non si sa mai, pensavo, nel caso non mi fossi sposata, o fossi magari rimasta vedova giovane o qualcosa del genere.

Quando lo conobbi, Alfred era esattamente com'è oggi: disordinato, dinoccolato, distratto. L'unica differenza è che allora mi sembrava autoritario. Sentivo gli insegnanti che parlavano di lui: lo chiamavano «signor Simmons», e sapevano che non amava le classi indisciplinate. Quando entrava in una classe per assistere a una lezione, gli studenti erano come elettrizzati. Stavano più attenti, e l'insegnante era più brillante. Oggi, seduta a tavola, mi sforzo di rivedere in lui quella sicurezza. Stringo gli occhi per allontanarlo. Lui si innervosisce al punto che lascia cadere la forchetta. «Che c'è?» chiede. «Ho fatto qualcosa che non va?»

Eppure a scuola, le poche volte che ci torno, noto che gli insegnanti, appena lo vedono arrivare, sembrano quasi mettersi sull'attenti.

Quando cominciammo a frequentarci non mi passò mai per la testa di chiedergli cosa sapesse fare. Sapeva cambiare l'olio? Montare le controfinestre? Ovvio che sapeva farlo, tutti gli uomini sanno farlo, e poi, se anche non fosse stato capace, che cosa importava? Tanto lo amavo. Mi faceva tenerezza già solo vedere che il bottone di un polsino gli penzolava appeso a un unico filo. Se si perdeva portandomi a un ristorante, ero contenta e gli dicevo che tanto non avevo appetito. Aspettavo solo il momento

131

in cui avrebbe parcheggiato davanti a casa mia e mi avrebbe presa tra le braccia. Era come se le sue mani (con quelle unghie squadrate e i palmi rosa e prive di calli che a ben pensarci avrebbero dovuto mettermi in guardia) mi modellassero; dentro di loro mi adagiavo, diventavo più alta, più magra e più carina. Non era certo il momento di chiedergli se sapesse cambiare un interruttore.

Poi ci sposammo e andammo ad abitare in una casa né vecchia né nuova in Coker Street. Fu un periodo difficile; i miei genitori, delusi di Alfred, si allontanarono, e io mi sentii completamente abbandonata. Quando andai a lavorare in biblioteca, di sera tornavo a casa (stanca morta, con i piedi doloranti) e dovevo ancora preparare la cena, portare fuori la spazzatura, passare l'aspirapolvere, pulire. Al sabato e alla domenica falciavo l'erba e potavo i cespugli, poi lavavo porte e finestre, dipingevo stanze, verniciavo pavimenti. Mio marito si limitava a guardare dalla soglia di qualche porta. Non voglio dire che fosse pigro. È solo che non sapeva come aiutarmi. Non aveva niente in contrario a portare fuori la spazzatura, però si dimenticava di metterci il coperchio, e allora i cani rovesciavano il bidone e sparpagliavano tutto in giro. Se mi dava una mano a dipingere, faceva gocciolare la pittura e pestava la vernice fresca; una volta ruppe perfino una finestra nel tentativo di aprirla. All'epoca scoprii anche che non aveva mai imparato a gestire il denaro, per questo in banca gli era stato assegnato uno di quei consulenti speciali che amministrano le spese delle vedove ricche e imbranate. Sulla sua scrivania di casa, poi, aveva un mazzetto di multe per sosta vietata mai pagate.

Insomma, cominciai a pagare le multe, a occuparmi del suo libretto degli assegni, e preparai un bilancio annuale. Tutte le volte che gli chiedevo qualcosa per le spese deducibili (compito di mio padre, quando ero bambina), avevo l'impressione di diventare grande e larga di spalle. Avevo preso l'abitudine di mostrare la mano aperta, palmo in su, come per invitare il mio interlocutore a essere ragionevole. «Cerca di ricordare, Alfred. Hai comperato francobolli? Cancelleria? Libri legati alla tua professione?»

«Libri?» ripeteva. «Sì, in realtà mi sembra di sì.»

«Quanto costavano? Hai conservato gli scontrini?»

«No, devo averli persi.»

«Cinque dollari? Dieci?»

«Non ho proprio idea.»

«Pensa ai titoli. Magari ti aiuta. Quindici dollari? Venti? Era meno di venticinque dollari?»

«Senti Lucy, non mi ricordo, ti prego. Ma è proprio tanto importante?»

Così cominciai a soffrire d'insonnia. Stavo a letto sveglia, con i pugni stretti, anche se mi sforzavo di rilassarmi. Avevo l'impressione di dover tenere in piedi tutta la baracca, perché non mi rovinasse addosso. Tutto dipendeva da me.

« Quando accendo il motore » dissi a Joel, « mi sembra normale. Poi accelero e aspetto quel clic, ha capito quale intendo? Quel clic che si sente quando il motore cambia marcia. Invece non sento niente. E mi pare che il motore sforzi un po', fa un rumore strano, non saprei come spiegarlo. »

« Speriamo che non sia la trasmissione » disse Joel. « Altrimenti sarà costoso. »

Eravamo fermi a un semaforo, guidava lui, per provare il cambio automatico. Era agosto, una giornata molto calda e assolata (il viso di Joel era coperto di sudore e i suoi capelli biondi erano umidi e lucidi), ma non aprii il finestrino. Mi piaceva la sensazione del caldo torrido. Per tutta la mattina ero stata fredda e nervosa. Mi piaceva che Joel, aspettando tranquillamente che venisse il verde, fischiettasse *Let It Be* e tamburellasse sul volante con le dita. Nelle sue mani, la mia auto sembrava mite e obbediente.

« Spero di non doverla cambiare » dissi.

« No, non si preoccupi » rispose.

Verde. Joel partì subito, ma avevamo una macchina davanti, una vecchietta con una Studebaker che andava lenta come una lumaca. «Cavolo» sbottò Joel. Cambiò corsia. Ora poté accelerare per bene. Teneva la testa inclinata per sentire il rumore del motore. «Be'?» disse. «A me sembra che cambi al momento giusto.»

«No, aspetti un minuto...»

Anch'io tendevo l'orecchio, ma non sentivo lo stesso rumore di quando ero da sola.

Prendemmo una strada secondaria in una zona residenziale senza semafori. Joel fermò l'automobile, poi ripartì e accelerò quasi fino a cento all'ora, sempre tenendo la testa inclinata. Frenò e mise in folle; le sue nocche si muovevano sotto la pelle come giunti meccanici perfettamente lubrificati. «Proviamo di nuovo» disse.

Il secondo tentativo ci portò alla fine della strada, dove c'era un campo di margherite cosparso di lattine di birra. Joel fermò l'auto e si asciugò il labbro con il dorso della mano. «Be'...» disse con lo sguardo fisso sul campo. Dietro i suoi occhi (che erano grandi e azzurri, trasparenti come finestre) immaginavo che stesse elaborando sistematicamente un'enorme massa di dati. «No» concluse infine e scosse la testa. «Mi sembra proprio tutto a posto.»

In teoria avrei dovuto essere contenta, invece non lo ero. Quando si trova un guasto, lo si può riparare, poi almeno si è sicuri che per qualche tempo l'auto funzionerà. Ma se non è stato identificato nessun problema, resta una sorta d'inquietudine... Sospirai stringendo la borsetta. Joel si girò a guardarmi. «Mi sa che sto per impazzire» gli confessai sgomenta.

«Ma no...»

«Sto dando troppa importanza a quest'auto. Da qualche tempo non mi fido più nemmeno ad andare in autostrada, non voglio mai allontanarmi troppo dalle stazioni di servizio. Ho già dovuto rinunciare agli incontri della Lega delle donne elettrìci e al mio supermercato preferito. Perfino qui in città, prendo solo le strade in cui ci sono stazioni di servizio. Quelle residenziali mi rendono nervosa.»

«Ma guardi che la sua auto è in ottimo stato» mi assicurò carezzando il volante. «Non deve avere paura.»

«Temo che tra non molto mi ridurrò a stare in casa dalla mattina alla sera.»

L'idea lo divertiva. «E allora?» chiese. «Che male c'è, a stare in casa?»

«Be', tanto per cominciare perderei il lavoro.»

«Vorrei tanto che mia moglie stesse un po' in casa» disse con aria trasognata. «Ma lei non fa che andarsene in giro tutto il giorno in automobile. Mi accompagna a lavorare e poi va di qua e di là... spende una barca di soldi, fa stancare il bambino...»

«Ma se sua moglie ha un problema può sempre chiamare in aiuto lei» obiettai.

«Dove, a quaranta miglia sulla circonvallazione? Da Korvettes o da K Mart o da Two Guys? E poi le cose che compera non valgono niente. Tutti quei maglioni striminziti, quei terribili orecchini di plastica... Guardi che non è per i soldi. Secondo me potrebbe metterli da parte per comperare qualcosa di veramente bello, come il suo cappotto marrone, signora Simmons – ce l'ha presente il suo cappotto marrone? – e sarebbe molto meglio. Io glielo dico, ma pensa che mi ascolti?»

«Magari si sente sola.»

«Può darsi, comunque mi piacerebbe avere una moglie che stesse un po' in casa. E non si cura per niente, è così trasandata. Adesso poi che si è fatta crescere i capelli, ogni volta che torno a casa mi chiedo: e questa chi è? Voglio dire che non finisco di sorprendermi, non riesco ad abituarmi. Allora penso: ma è proprio lei? Sono sposato con questa donna dai capelli stopposi? È come se avessi un'amnesia. Non capisco come sia successo.»

«Nessuno ci aveva avvertiti che sarebbe stato definitivo...» dissi.

«Be', no, o comunque non abbastanza da convincerci.»

137

Mi lanciò un'occhiata, staccò le mani dal volante. Il frinire delle cicale fece sembrare ancora più pesante il nostro silenzio. «Be'...» dissi, e anche Joel disse: «Be'. Victor si starà chiedendo dove mi sono cacciato». Avviò il motore, girò l'auto e tornammo alla stazione di servizio.

In settembre andai a trovare i miei genitori al Sud per una settimana. Non andò bene, però. Mancavo da troppo tempo, e qualcosa tra noi si era spezzato. Quando la mia sorella più giovane li prendeva in giro a tavola mi sentivo più orfana che mai. Mio padre era sempre nella sua officina a smontare e rimontare cose, mia madre e io ci parlavamo in tono talmente gentile che mi sentivo a disagio. Quando fu l'ora di ripartire tirai un sospiro di sollievo.

Alfred venne a prendermi in stazione con un mazzo di rose. Ero felice di rivederlo. I suoi vestiti stropicciati mi diedero una gradevole sensazione di pace e di fiducia; inspirai a pieni polmoni il suo odore di tabacco. «Non lasciarmi più partire» gli dissi. Lui sorrise e mi consegnò le rose.

In auto s'informò sui miei genitori: avevano accettato l'idea che fossimo sposati? «Sì, certo» risposi senza riflettere; del resto, che c'entrava la mia famiglia con noi?

Parcheggiò davanti a casa con due ruote sul marciapiede. Scaricò dal bagagliaio la mia valigia e salimmo la scala tenendoci per mano. «Come vedi ho tagliato l'erba» annunciò.

Ero sorpresa. Guardai il prato, spelacchiato, con qualche foglia autunnale qua e là. Sembrava come mangiucchiato. Vidi le strisce arruffate che aveva mancato. «Alfred!» esclamai.

Sembrava inquieto.

«Che pensiero carino!» aggiunsi.

«Sì, ma... sai, temo che la falciatrice...»

«Che c'è?»

«Voglio dire... ho l'impressione che, ehm... non funzioni tanto bene.»

«Oh, be', dopo ci do un'occhiata.»

«Se vuoi, è là.»

Sul prato di fianco a casa, intendeva, l'aveva lasciata fuori. Era una falciatrice elettrica, piuttosto costosa, non certo un oggetto da lasciare in giro incustodito. Ma sorvolai. «Che problema c'è?» chiesi.

«Ecco...»

Lasciò la mia valigia davanti alla porta e raggiunse la falciatrice. La voltò senza staccare la spina (trasalii, ma non dissi niente) e mi indicò le lame. «Vedi lì?» disse.

Ex lame, per meglio dire. Ora erano pezzi di metallo ammaccati, rotti e accartocciati. «Ma cos'è successo?» chiesi chinandomi per vedere meglio. Uno dei pezzi metallici non era affatto

139

una lama, ma qualcosa di più piatto e largo. «Oh, è la protezione per i piedi» dissi. «Di solito è attaccata sul retro della falciatrice.»

«Be', dev'essersi staccata» constatò Alfred.

«Già, e tu cos'hai fatto, hai continuato come niente fosse, così ci sei passato sopra e l'hai triturata con le lame?»

«Non mi ero accorto di quel che stava succedendo» si giustificò lui.

«Ma deve aver fatto un rumore infernale!»

«Sì, ma pensavo che fosse il... non so cosa. Insomma, pensavo che fosse un rumore passeggero, magari un rametto o qualcosa del genere.»

Mi sembrava di vederlo: Alfred che si ostina a spingere la falciatrice ignorando il frastuono assordante. Fui assalita da un senso di disperazione. Non riuscivo proprio a venirne fuori. «Oh, Alfred» dissi, «ma non ne fai una giusta! Devo pensare sempre io a tutto?»

Lui si alzò e puntò lo sguardo su di me. Era sbiancato, e i suoi occhi (solitamente di un grigio chiaro) sembravano più grandi e scuri. «Ci avrei giurato che l'avresti detto, Lucy» disse.

«Se lo sapevi, allora perché...»

«Non ti va mai bene niente di quello che faccio. Tu vuoi che tutto sia perfetto, perciò fai sempre tutto da sola, oppure mi controlli, brontoli e critichi tutto quello che faccio io.

Devi avere il controllo delle cose, devi sempre avere il potere. »

« Ah, la vedi così? » sbottai. « Pensi che sia stata io, a volere che fosse così? Pensi che sia io a *volerlo*, il potere? Ma prenditelo! Perché non te lo prendi? Credi che me lo terrei, se lo prendesse qualcun altro? *Prenditelo!* »

E scossi le mani davanti alla sua faccia offrendogli tutto quello che c'era dentro, ma lui si limitò a fissarmi con espressione stoica. Rimasi un momento con le mani sollevate, poi le lasciai cadere. Alfred staccò la spina, raddrizzò la falciatrice e la portò in garage: un uomo grande, triste, con un abito sformato, che camminava leggermente curvo.

In questo periodo l'auto non mi dà problemi, ma non ho smesso di preoccuparmi. L'ultima volta che sono stata alla Exxon, era solo per fare il pieno di benzina. Ci sono andata una nebbiosa mattina di ottobre, il primo giorno veramente freddo dell'autunno. Era di turno Joel. Sembrava triste, forse aveva bevuto; e io avevo l'emicrania per essere stata alzata fino a tardi a vedere un film dopo che Alfred era andato a dormire. Così gli ho solo fatto un cenno con la testa e anche Joel mi ha risposto con un cenno ed è andato ad avviare la pompa. È stato ad aspettare che il serbatoio si riempisse con le

141

braccia conserte. Io ho tenuto lo sguardo dritto davanti a me, concentrandomi sul mio respiro che appannava il parabrezza. Poi ho pagato i miei sei dollari e ventiquattro centesimi, ho riposto il portafoglio nella borsa e sono ripartita.

Indice

Fotocomposizione:
Nuovo Gruppo Grafico s.r.l. - Milano

Finito di stampare
nel mese di febbraio 2005
per conto della Ugo Guanda S.p.A.
da La Tipografica Varese S.p.A. (VA)
Printed in Italy